nŭmerŭs, *i*, m.: numero, quantità, moltitudine; misura, ritmo, armonia; valore; ordine, regola; canone.
Esempio: *numerus scriptorum optimorum*.

via Zanardelli 34
00186 Roma
info@lucasossellaeditore.it
www.lucasossellaeditore.it

Finito di stampare
nel mese di aprile 2005
da Graffiti srl, Roma

Art director
Alessandra Maiarelli
progetto grafico
Lev laboratorio di comunicazione

In copertina
Sign installazione di Raffaella Nappo
Certosa di San Lorenzo, Padula
cover concept
行動

ISBN 88-87995-85-0

GIACOMO MARRAMAO

Minima temporalia
Tempo spazio esperienza

Indice

Avvertenza

*Il presente libro, apparso originariamente nel 1990 presso il Saggiatore e ormai da molti anni esaurito, viene riproposto in una versione riveduta e ampliata, sostanzialmente conforme all'edizione tedesca (*Minima temporalia. Zeit, Raum, Erfahrung,* Passagen Verlag, Wien 1992). Rispetto a quest'ultima, ho tuttavia rinunciato, per mantenere la scorrevolezza del testo, a inserire le note; mentre, per altro verso, ho resistito alla tentazione di operare un aggiornamento bibliografico.*

Il filo conduttore del viaggio che viene qui intrapreso attraverso i labirinti della prospettiva moderna è costituito da un tratto paradossale: l'inconcepibilità del tempo fuori del riferimento a rappresentazioni spaziali. Lo spiazzamento che ne consegue non si limita a problematizzare i risultati della "svolta linguistica", perseguiti in forme diverse dagli opposti/speculari stili filosofici dell'analitica e dell'ermeneutica, ma investe in pieno le pretese della filosofia di estrapolare una dimensione "autentica" della temporalità in antitesi alla spazializzazione: a cominciare dallo stesso Heidegger, di cui il libro propone una critica teoretica radicale. L'irriducibilità dello spazio all'essere in quanto tempo non gioca forse – come ha opportunamente notato uno studioso francese di scuola fenomenologica (D. Frank, Heidegger et le problème de l'espace, Les Éditions de Minuit, Paris 1986, p. 59) – un ruolo decisivo nell'interruzione di Sein und Zeit e nella successiva sostituzione, operata dal "secondo" Heidegger, del termine essere con quello di evento (Ereignis)? L'alternativa filosofica da me avanzata viene cosí a delinearsi – tramite un confronto incrociato con i linguaggi dell'arte e della scienza – come un'ontologia postmetafisica dello spaesante e della differenza, concepita in aperta rottura con tutte le attuali declinazioni della tematica del "nihilismo". A differenza del postmoderno, essa non è piú giocata sui consueti "superamenti" e "rovesciamenti", ma su una deangolazione prospettica: su uno spostamento laterale dell'ottica con cui l'intera tradizione filosofica occidentale – da Platone a Bergson, da Aristotele a Leibniz, da Nietzsche a Foucault, da Baudelaire a Benjamin – ha finora visualizzato la "questione del tempo".

Frutto di una pluriennale riflessione teoretica intorno al tema della temporalità, il libro è intimamente interconnesso con altre due mie opere: Potere e secolarizzazione (1983; nuova edizione, Bollati Boringhieri, Torino 2005) e Kairós. Apologia del tempo debito (Laterza, Roma-Bari 1992; II edizione 1993). Per la sua natura di "oggetto misterioso", collocato al di là o al di fuori delle tradizioni filosofiche consolidate, vorrei aggiungere alla dedicatoria della prima edizione (in memoria di due straordinari intellettuali-scrittori di formazione germanistica, entrambi scomparsi nel 1988: Enrico Filippini e Ferruccio Masini) il ricordo commosso di Robert Nozick: figura di filosofo rigoroso e appassionato, di cui discuto qui le riflessioni su Leibniz e Heidegger, divenute oggetto di animata discussione fra noi in occasione di due incontri. Nel trattare i temi dell'essere e del nulla, del tempo e dello spazio, del contingente e del necessario, Bob andava immediatamente alla radice dei problemi. E, come tutti i grandi, non poteva fare a meno di sorridere davanti alle convenzionali divisioni di campo tra "analitici" e "continentali".

G.M.

Roma, 13 febbraio 2005

Minima temporalia

Ἡ δ᾽ ἔφεσις τοῦ ζῆν τὸ εἶναι ζητοῦσα τοῦ παρόντος ἄν εἴη, εἰ τὸ εἶναι ἐν τῷ παρόντι. Εἰ δὲ τὸ μέλλον καὶ τὸ ἐφεξῆς θέλοι, ὃ ἔχει θέλει καὶ ὃ ἐστιν, οὐχ ὃ παρελήλυθεν οὐδ᾽ ὃ μέλλει, ἀλλ᾽ ὃ ἤδη ἐστὶ τοῦτο εἶναι, οὐ τὸ εἰσαεὶ ζητοῦσα, ἀλλὰ τὸ παρὸν ἤδη εἶναι ἤδη.

Plotino, *Enn.* I 5,2

Soledad y pecado original se identifican. Y salud y comunión vuelven a ser términos sinónimos, solo que situados en un pasado remoto. Constituyen la edad de oro, reino vivido ante de la historia y al que quizá se pueda acceder si rompemos la cárcel del tiempo. Nace así, con la concienca del pecado, la necesidad de la redención. Y esta engendra la del redentor.
Surgen una nueva mitología y una nueva religión. A diferencia de la antigua, la nueva sociedad es abierta y fluida, pues está constituida por desterrados. [...]
No sólo hemos sido expulsados del centro del mundo y estamos condenados a buscarlo por selvas y desiertos o por los vericuetos y subterráneos del Laberinto. Hubo un tiempo en el que el tiempo no era sucesión y tránsito, sino manar continuo de un presente fijo, en el que estaban contenidos todos los tiempos, el pasado y el futuro. El hombre, desprendido de esta eternidad en la que todos los tiempos son uno, ha caído en el tiempo cronométrico y se ha convertido en prisionero del reloj, del calendario y de la sucesión. Pues apenas el tiempo se divide en ayer, hoy y mañana, en horas, minutos y segundos, el hombre cesa de ser uno con el tiempo, cesa de coincidir con el fluir de la realidad. Cuando digo "en este instante", ya pasó el instante.

Octavio Paz, *El laberinto de la soledad*

Desiderio di vita è desiderio di essere e desiderio di una cosa presente, poiché l'essere è solo nel presente. E se si desidera ciò che non è ancora e ha da venire, in realtà si desidera ciò che si ha ed è già, non ciò che è passato o futuro; [si vuol] essere ciò che si è già, e non esserlo per l'avvenire, e si vuole che ciò che è attualmente presente sia attualmente presente.

Plotino, *Enn.* I 5,2

Solitudine e peccato originale si identificano. Salute e comunione ritornano a essere termini sinonimi, solamente se sono situati in un passato remoto. Costituiscono l'età dell'oro, regno anteriore alla storia e al quale forse si potrà accedere di nuovo se rompiamo la prigione del tempo. Nasce cosí, con la coscienza del peccato, la necessità della redenzione. E questa genera quella del redentore.
Sorge una nuova mitologia, si stabilisce una nuova religione. A differenza di quella antica, la nuova società è aperta e fluida, perché costituita da esiliati.
[...]
Non solo siamo stati espulsi dal centro del mondo, ma siamo condannati a cercarlo per selve e per deserti, o attraverso gli intrichi e i sotterranei del Labirinto. Vi fu un tempo in cui il tempo non era successione e passaggio, ma fluire continuo di un presente fisso, in cui erano contenuti tutti i tempi, il passato e il futuro. L'uomo, da questa eternità in cui tutti i tempi sono uno, è caduto nel tempo cronometrico ed è diventato il prigioniero dell'orologio, del calendario e della successione. Perché appena il tempo si divide in ieri, oggi e domani, in ore, minuti e secondi, l'uomo cessa di essere uno col tempo, cessa di coincidere col fluire della realtà. Quando dico "in questo momento", già il momento è passato.

Octavio Paz, *Il labirinto della solitudine*

Enrico Filippini
Ferruccio Masini
in memoriam

1. Differenze impercettibili. Il tema

Chiunque rifletta su quattro cose, meglio sarebbe per lui
se non fosse venuto al mondo – ciò che è sopra;
ciò che è sotto; ciò che è prima; ciò che è dopo.
Mishnah, *Hagigah*, 2:1

1.1. *L'altra metà del tempo*

Una *relazione* familiare quanto enigmatica forma l'oggetto del presente libro: la relazione che la nostra esperienza intrattiene con la dimensione temporale. Da millenni la riflessione (non solo filosofica e non solo occidentale) sul "tempo" ha creduto di ravvisare, all'interno di questo rapporto, una curiosa biforcazione. Essa è stata espressa in una varietà di modi. La si può tuttavia ricondurre – con una forzatura inevitabile ma discretamente sostenibile – alla seguente formula: alla *rappresentazione* del tempo fa riscontro un *senso* o, se si preferisce, un *sentimento* del tempo. Nella prima il tempo apparirebbe necessariamente esteriorizzato e *spazializzato*, mentre nel secondo verrebbe percepito nella sua autenticità e autonomia. Poco importa, per il momento, che queste ultime prerogative vengano associate dalla riflessione moderna – postgiudaica e postcristiana – all'"interiorità", laddove il pensiero classico le rapportava viceversa a un'armonia cosmica. Dalla definizione di questo "passaggio" si diparte una netta linea divisoria che attraversa tutti i grandi modelli "ermeneutici", "diagnostici" o "anamnestici" della Ragione occidentale: se in esso debba ravvisarsi una frattura e una svolta, oppure una semplice traduzione e un compimento dell'originaria "soggettità" platonica nell'"egoità" postcartesiana, rappresenta, del resto, una delle alternative dirimenti del dibattito intorno al nihilismo. Su alcune delle difficoltà e delle questioni aperte di questo dibattito mi soffermerò diffusamente nella parte centrale del lavoro, prendendo criticamente in esame alcuni testi finora inadeguatamente considerati di Martin Heidegger a partire dal monumentale *Nietzsche* del 1961 (il cui primo strato di riflessioni risale però alla metà degli anni Trenta).

A prescindere dagli schieramenti e dalle divisioni interpretative resta tuttavia il fatto che tra esperienza e rappresentazione del *tempo* si dà sempre un campo di tensione irresolubile. Il filo conduttore del libro è costituito appunto dalla persistenza di questo campo di tensione. Ma anche da una riflessione specifica sugli stessi termini *esperienza* e *rappresentazione*, il cui statuto appare – allo stato attuale dell'arte – incerto e problematico. "Esperienza" è stata definita da Hans-Georg Gadamer il meno rischiarato dei concetti filosofici. Mentre la "rappresentazione" evoca dal canto suo implicazioni paradossali che richiedono di essere esplicitate. I paradossi sembrano puntualmente duplicarsi ogni qualvolta il problema della rappresentazione viene a incrociarsi con quello dell'esperienza della temporalità: mentre sul piano dell'esperienza e del linguaggio ordinari percepiamo (o crediamo di percepire) il tempo come "qualcosa" di autonomo dallo spazio, sul piano della rappresentazione – anche la piú filosofica o la piú puramente teoretica – non possiamo esimerci dal ricorso ad analogie e metafore spaziali. La metafora dello "scorrere" solca come un fiume carsico il sottosuolo della lingua in tutte le epoche e in tutte le culture: dal πάντα ῥεῖ eracliteo a espressioni latine come *tempus elabitur, fugit irremeabile tempus*, oppure moderne come *Im Laufe der Zeit* (che è anche il titolo di un bel film di Wim Wenders) o "nel corso del tempo". Ciò segnala una circostanza ulteriore: nelle nostre rappresentazioni, spazio e tempo *fungono* da *coordinate* orientate a partire da un punto di convergenza costituito dal soggetto-sostegno delle sensazioni. Coordinata-tempo e coordinata-spazio, in altri termini, si intersecano nell'*hic et nunc*, nel qui-e-ora, dell'Ego. Tale modello è documentabile non solo in sede metaforologica e iconologica, ma anche linguistica e glottologica. È sintomatico al riguardo che non soltanto filosofi come Henri Bergson o Heidegger, ma anche epistemologi e scienziati contemporanei, come per esempio René Thom, si siano appellati al linguaggio naturale per comparare le relative "profondità ontologiche" dello spazio e del tempo: "Lo studio delle lingue", ha notato Thom in una relazione tenuta a un importante convegno internazionale su *Le frontiere del tempo* organizzato nell'aprile 1980 da Ruggiero Romano, "mostra che in quasi ogni lingua – se non in tutte – esiste una classe di parole indispensabili alla costituzione di una frase semanticamente autonoma, quella che nelle nostre lingue indo-europee si designa con *il verbo*. Il verbo ha con la localizzazione temporale un'affinità evidente, che spesso si manifesta attraverso una morfologia esplicita (i 'tempi' del verbo); non si può dire altrettanto dello spazio, che sembra avere il solo ruolo – molto implicito – di differenziare gli attanti che intervengono nella sintassi di una frase". Per questa via Thom ritiene di poter pervenire alla conclusione che "il tempo abbia una 'profondità ontologica' superiore a quella dello spazio". Un opposto scenario ci viene prospettato da quei glottologi che si sono soffermati sugli aspetti linguistici della modellizzazione del tempo. Essi non si limitano a constatare che il principale ostacolo nel cogliere l'enigma della dimensione temporale sta nel fatto che i "percetti" che la compongono "possono essere confrontati tra loro solo memorialmente": e che pertanto a essere comparate sono "le *esperienze* portate dal tempo, non la dimensione che lo porta". Ma ritengono addirittura di poterne concludere che il solo modello "percepibile nella sua interezza", a cui ricondurre l'"insieme dei riferimenti temporali", sarebbe, per l'appunto, "lo spazio" (Giorgio R. Cardona).

Tutto ciò è dimostrabile senza alcun bisogno di seguire il "candore biologico" di Noam Chomsky nella sua pretesa di rintracciare princípi semantici della lingua naturale validi universalmente e indipendentemente dai diversi contesti culturali. Dopotutto, tra il regime "arbitrario" della convenzione e quello "spontaneo" della derivazione intuitiva si colloca quel regno delle forme simboliche, al di fuori del quale sarebbe un vano sforzo tentare di scoprire una qualche "grammatica generativa" del concetto di tempo. L'operazione conforme allo scopo dovrà allora consistere piuttosto in un'indagine comparativa volta a evidenziare le costanti ricorrenti nelle diverse lingue per esprimere la nozione e l'esperienza della "temporalità". Ebbene, tutti gli studi capaci di mettersi in rapporto diretto con l'esperienza fattuale – a partire da quelli condotti nell'ambito della psicologia della percezione – mostrano a sufficienza come nessuna esperienza del tempo possa ricevere espressione al di fuori di un uso, di volta in volta culturalmente determinato, dello spazio, sulla base di un gioco di distanziamento-accostamento dei "percetti": nessuna esperienza temporale può, per dirla in breve, fare a meno di una semiotica dello spazio o "prossemica" (nel senso, ormai "classico", di Edward T. Hall). In tutte le rappresentazioni del tempo, siano esse "linguistiche" o "iconiche", entra dunque in gioco un "fattore soggettivo" strettamente interconnesso al *punto d'osservazione*: "rispetto a Ego", nota sempre Cardona, "il tempo è visto come un asse orientato nel senso davanti-dietro: Ego rappresenta l'adesso (cosí come rappresenta il qui nel modello spaziale), davanti gli giace il futuro, alle sue spalle sta il passato". Il fenomeno dell'"assialità" verrà analizzato nel secondo capitolo, dove si esaminerà il significato che assumono termini come "prospettiva", "aspettativa" e "attesa" in rapporto al ruolo strategico o "sovrano" assegnato dalla rappresentazione moderna al "punto d'osservazione". Si vedrà allora quanto poco questo ruolo renda plausibile la pretesa metafisica di un saldo ancoraggio alle "categorie" (e alla logica proposizionale) come linea di demarcazione invalicabile tra significato *letterale* e significato *metaforico*: quanto, cioè, la parola metaforica risulti inestirpabile dalla parola razionale anche nelle cosiddette scienze "dure" della modernità, a partire dalla fisica e dalla chimica, per tacere della biologia (benché – occorre aggiungere – questa

inestirpabilità funga piuttosto da indicatore di un'irresolubile tensione che non da sigillo di una pacifica "preminenza", come vanno oggi sostenendo i troppo zelanti portavoce di un neoimperialismo della *retorica*).
L'assenza di "generatività interna" che investe il discorso filosofico *in quanto tale* fa sí che la stessa nozione "classica" di temporalità includa in sé quel carattere di *rappresentazione* che la connette intimamente alla metaforica spaziale. La celebre definizione platonica di χρόνος come icona dinamica di αἰών, come "immagine mobile dell'eternità" (*Tim.*, 37d), implica non solo un reciproco rimando di tempo ed eternità, ma un'imitazione di questa da parte di quello, in conformità al modello del cielo che "si muove in circolo secondo il numero" (*ivi*, 38a). L'immagine del *cerchio del tempo*, con il rinvio metaforico al "movimento della sfera", ricorre anche nei *Problemata* aristotelici (XVII, 3, 916a); mentre nella *Fisica* il motivo del "numero" (alla base della classica definizione del tempo come "numero del movimento secondo il prima e il poi" [*Phys.*, IV, 219b]) rinvia all'anima (alla ψυχή) in quanto "numerante": "se è vero che nella natura delle cose soltanto l'anima, o l'intelletto che è in essa, hanno la capacità di numerare, risulta impossibile l'esistenza del tempo senza quella dell'anima" (*ivi*, 223a). Si tratta tuttavia di formule nelle quali la dimensione "soggettiva" del tempo appare inestricabilmente confitta e, per cosí dire, incastonata in quella del tempo cosmologico. Formule che, nonostante il punto di svolta costituito dalla riflessione agostiniana, hanno continuato a esercitare la propria incidenza sulla rappresentazione del tempo dominante nella cultura europea per tutto il Medioevo, al punto che lo stesso Dante poté accoglierle di peso nel *Convivio*: "Lo tempo, secondo che dice Aristotile nel quarto de la Fisica, è 'numero di movimento, secondo prima e poi' e 'numero di movimento celestiale'" (IV, 2).

La caratteristica delle formule classiche non è dunque data ancora da una dissociazione tra "interno" ed "esterno", ma da un'articolazione e compresenza di due dimensioni della temporalità insieme "soggettive" e "oggettive", psichiche e cosmologiche: il tempo-successione, χρόνος, e il tempo-durata, αἰών. E se il primo rimanda, come si è visto, al *numero*, in cui il movimento che procede dal prima al poi è inviluppato, il secondo rinvia all'immagine della *vitalità*, intesa come energia o virtualità di *durare*, implicando perciò una rappresentazione del tempo in base alla metafora biologica della crescita: la temporalità "aionica" è concepibile-afferrabile solo a guisa di forma organica, di *organismo* dotato di una sua persistenza e di un suo ciclo vitale. Il corrispettivo latino di αἰών è *ævum*. Ma in origine questo termine, che esprimeva l'immagine *animata* della durata, era maschile, *ævus*, e non contemplava il plurale, mentre *tempus*, che designa l'aspetto puntuale e *inanimato* della durata, è *neutro*: non a caso i derivati latini di *ævus, -um* sono tanto *ætas* quanto *æternitas* (che si connette agli avverbi greci αἰέν, ἀεί, "sempre", e al germanico *ewig*, proveniente dal gotico *aiws*).

L'equilibrio di "linea" e "circolo" che connota i modelli classici della temporalità viene infranto – com'è noto – dalla riflessione di Agostino: la durata, estrapolata dall'*imago* ciclica conforme al referente cosmologico, diviene qui *distensio animi*, tempo interiore della coscienza radicalmente scisso dal tempo esteriore del mondo (*Conf.*, XI, 14; *De civ. Dei*, XI, 5). Da questo grande spartiacque del pensiero tardoantico si diparte cosí, oltre alla concezione lineare del tempo storico che da escatologica si secolarizzerà in "progressiva", quell'analisi fenomenologica del "vissuto" coscienziale e delle sue "estasi", ossia del vicendevole implicarsi – nella *presenza* dell'ego – di "ritenzione" del passato nel *ricordo* e di "protensione" del futuro nell'*attesa*, che verrà ripresa, al principio del XX secolo, da Edmund Husserl nelle lezioni *Zur Phänomenologie des inneren Zeitbewusstseins* (1905-11).

Ma vi è di piú. Ed è su questo "di piú" che converrà adesso soffermarsi. Per un'elementare ragione di economia del discorso, innanzitutto: i due ultimi aspetti evocati, quello della secolarizzazione del tempo lineare in prospettica "futurocentrica" e quello della "coscienza interna del tempo", sono diffusamente considerati nello svolgimento del libro. Ma anche per un motivo piú essenziale e profondo. Tale motivo viene a investire implicazioni colpevolmente trascurate dalla tradizionale riflessione filosofica sulla *Zeitfrage*, che sembra proseguire "imperturbabile" il proprio cammino anche nel corso del Novecento. L'idea di un'irreversibilità fondata sulla rottura dei *falsi circuli* (enucleata, non senza una cospicua dose di forzatura, dalla riflessione di Agostino) svolge una funzione costitutiva non solo per la problematica moderna del "tempo storico", ma anche per quella contemporanea del tempo naturale: la fisica posteinsteiniana ha incorporato la *freccia del tempo psicologica* nella sua visione dell'universo, affiancandola ad altre due frecce temporali: la freccia *termodinamica*, indicante la direzione del tempo in cui aumenta il disordine e l'entropia (anziché l'ordine e l'energia), e la freccia *cosmologica*, indicante la direzione del tempo in cui l'universo si espande (anziché contrarsi). Ma siamo proprio convinti del significato generale che è stato attribuito, anche in sede di discussione scientifica, a una tale "incorporazione" e dei risvolti teorici – o addirittura speculativi – che qualche autorevole scienziato si è sentito legittimato a estrapolare da essa?

1.2. *Gli inganni della freccia*

Prendiamo l'esempio piú clamoroso, che è poi anche quello piú agevolmente fruibile in chiave filosofica: la riflessione sul tempo di Ilya Prigogine. Essa generalizza – per taluni indebitamente – certi risultati delle sue indagini fisico-chimiche sul fenomeno delle cosiddette "strutture dissipative", finendo per proiettarli su uno schermo gigante. Il tempo vi appare come la "dimensione dimenticata" di una scienza fisica complessivamente bloccata dal modello atemporale della reversibilità e della simmetria. In opere come *From Being to Becoming* (1978) o nel piú recente *Entre le temps et l'éternité* (pubblicato nel 1988 con Isabelle Stengers), Prigogine sostiene che la nostra epoca sta vivendo una rivoluzione scientifica di portata analoga a quella del Seicento. Gli indicatori di questa rivoluzione non andrebbero tuttavia ricercati in eventi vistosi come la scoperta dei quark e delle pulsar o le conquiste della biologia molecolare, ma in un aspetto insieme piú profondo e meno appariscente, che renderebbe ormai insostenibile la visione di un mondo "senza tempo" invalsa nelle scienze fisiche: l'inattesa *complessità* del "microscopico", rivelata dalle interazioni, dal decadimento e dalla produzione artificiale delle particelle elementari. È attraverso questa porta stretta, questo sottilissimo quanto profondo passaggio segreto, che l'"elemento tempo" farebbe irruzione nella descrizione fisica: accanto al classico tempo astronomico, associato alle traiettorie del moto o al succedersi ciclico del giorno e della notte, si verrebbe profilando un altro tempo. Ma in cosa consiste il "nuovo concetto di tempo, [...] radicalmente differente da quello astronomico", di cui si dà il trionfale annuncio in *From Being to Becoming*?

Questo "secondo tempo", non piú parametro (come nella meccanica classica) ma operatore di una descrizione probabilistica, è chiamato da Prigogine "tempo interno". Definizione quanto mai significativa: non per nulla introdotta da frequenti ed espliciti richiami a quell'arco di riflessione filosofica che si tende da Agostino a Husserl e Bergson. Ma il dato singolare è che questa decisiva "trasformazione" della coordinata-tempo avviene per il tramite di una vera e propria *riabilitazione ontologica* della percezione immediata. È essa a "renderci consapevoli dell'esistenza, nella nostra stessa vita, di una freccia del tempo". Ed è questo stesso "fatto *empirico*" a fornire la pezza d'appoggio alla giustificazione del nuovo concetto di tempo: "La giustificazione di questo punto di vista sta nell'osservazione che la natura, cosí come appare intorno a noi, è asimmetrica rispetto al tempo. Tutti noi invecchiamo insieme! E nessuno ha ancora osservato una stella che segua la sequenza principale al rovescio".

Il principale obiettivo polemico di Prigogine è rappresentato dall'"ideale matematico" del *platonismo*, inteso in un senso ben piú radicale di quello che Alexandre Koyré aveva descritto. Non sorprende perciò che, nell'invocare l'esigenza di un "quadro unificato" capace di includere in sé fisica e biologia, "mondo geometrico" e "mondo organizzato funzionale", egli si richiami a esempi non solo scientifici (come per esempio Jacques Monod, René Thom, Bernard d'Espagnat) ma anche socialfilosofici (come per esempio Edgar Morin e

Michel Serres). La capacità di questi affreschi transdisciplinari di profilare i contorni di una "nuova alleanza" risulterebbe dal produttivo contrasto, che essi consapevolmente innescherebbero, tra una tradizione occidentale "centrata sul tempo" (secondo "una caratteristica di fondo comune alle concezioni sia del Vecchio sia del Nuovo Testamento") e l'*imago* "senza tempo" di una fisica classica irretita dal modello platonico della Verità eterna e atemporale. Non a caso la storia della filosofia da Immanuel Kant ad Alfred N. Whitehead sarebbe stata segnata dallo sforzo di rimuovere questo ostacolo mediante l'introduzione di un'"altra realtà": il "mondo noumenico", gli "oggetti eterni" ecc. È vero che la cosmologia e la meccanica quantistica fondate sulla teoria della relatività generale sono le "scienze fondamentali" del nostro secolo, e che è dunque "in rapporto a esse che va considerata oggi la questione del tempo, cosí come, alla fine del XIX secolo, era vista in rapporto alla dinamica classica". E tuttavia meccanica quantistica e relatività generale sono, a onta del loro "carattere rivoluzionario", portatrici di una "negazione radicale dell'irreversibilità temporale". La relazione tra spazio-tempo e materia è concepita in entrambe come "essenzialmente simmetrica": come un circolo in cui la materia determina la curvatura dello spazio-tempo e questa determina a sua volta il movimento della materia. Eredi della dinamica classica newtoniana, esse sarebbero intimamente *solidali* con un tratto caratteristico di tutta la fisica moderna; l'*occultamento* e la *disattivazione* della "domanda" agostiniana.

Ancora Agostino, dunque. Ma, alle sue spalle, vediamo puntualmente profilarsi l'antitesi bergsoniana di *temps-espace* e *temps-durée*. E con essa i motivi, su cui aveva tanto insistito Hermann Weyl, della "durata concreta di ogni vivere [*Erleben*]", del "carattere irriducibilmente primario del tempo fenomenico" rispetto al "mondo fisico, 'veramente obiettivo', esatto e *senza qualità*", della "profonda estraneità del mondo concettuale della matematica nei confronti della continuità immediatamente vissuta del tempo fenomenico": "Ci sfugge semplicemente", osservava Weyl, "in che cosa consiste la continuità, il fluire da un punto all'altro, ciò che continuamente fa passare il presente che dura continuamente, giú, verso il passato che va scendendosene. Come stanno le cose in verità, ognuno di noi lo vive immediatamente in ogni istante; descriverlo è impossibile [...]. Ciò che è nella mia coscienza è per me un tutt'uno che è contemporaneamente un 'essendo adesso' e uno sfuggente che, come quello che è, sfugge assieme al posto che occupa nel tempo; e per questo motivo, ciò che esiste in modo duraturo è: qualcosa di sempre nuovo, che dura e che cambia" (*Das Kontinuum* [1918], II, 6).

È difficile resistere alla tentazione di mettere in rapporto la nuova "veduta" sul tempo di Prigogine e della Stengers, cosí ossessivamente centrata sulla scissione di "sapere" e "vita", con la temperie, diagnosticata da Husserl nella *Krisis*, di una civiltà occidentale colonizzata da pratiche scientifiche "filosoficamente disertate e per ciò stesso esistenzialmente fallite". Solo che il nuovo "patto" che essi propongono, anziché risolversi in una ἐποχή o in una mera enfatizzazione dell'"autentico", intende dare adito a potenti implicazioni ontologiche e a vasti scenari cosmologici. Il passaggio fondamentale dell'operazione s'impernia su un motivo che chiama in causa due aspetti decisivi anche dal punto di vista filosofico: la questione della (*a*) *nascita del tempo* e quella del (*b*) *passaggio all'esistenza.*

a) Il tempo – abbiamo visto – rappresenta per Prigogine-Stengers il "filo conduttore" che consente di "articolare a tutti i livelli le nostre descrizioni dell'universo". Resta tuttavia oscura la sua origine: "come potrebbe sorgere da una realtà essenzialmente atemporale questo tempo creatore che costituisce la trama delle nostre vite?". Si ripropone cosí in sede scientifica (anche se gli autori non lo dicono) l'interrogativo agostiniano circa il "prima" della creazione: interrogativo che, sotto forma teologica, pone il crucialissimo problema della "ragion sufficiente" dei processi unidirezionali. Ma ciò che appare qui decisivo è il *modo* dell'interrogarsi. Modo che reca in sé un'implicazione di prima grandezza, che potremmo definire come una *preferenza logico-filosofica per la simmetria*: tutti i fenomeni di asimmetria risultano, in altre parole, intelligibili solo se ricondotti a una situazione iniziale di simmetria. Agostino può intanto porsi la domanda del perché e del come Dio abbia dall'eternità creato il mondo, in quanto muove dall'assunto della *normalità* della situazione iniziale di simmetria e, conseguentemente, dell'*eccezionalità o devianza* dell'asimmetria temporale. L'aporeticità dell'argomentazione messa in forma da Prigogine-Stengers consiste nella pretesa di "spezzare il cerchio della ragion sufficiente" continuando però ad appellarsi alla nozione, intrinsecamente e "classicamente" negativa, di "rottura di simmetria". Ma in che modo una tale rottura dovrebbe aprire il varco a una "genesi *concettuale*" della freccia del tempo? Per fronteggiare le difficoltà sollevate da questo interrogativo, essi rispondono che è "necessario individuare ovunque l'irreversibilità temporale, altrimenti non potremo comprenderla da nessuna parte". Ciò significa sostituire alla singolarità iniziale – all'"atto unico" – del big bang, imposta dal "modello standard", le nozioni di *instabilità* e di *evento.* Si tratterebbe, sembra di capire, di nozioni ancora piú "originarie" di quella di *essere.* La posta in gioco non sarebbe allora tanto costituita dalla "fluttuazione che provoca una trasformazione qualitativa del regime di funzionamento dei sistemi lontani dall'equilibrio"; e neppure dalla virtualità, squisitamente epistemologica, di infrangere – bergsonianamente – l'"opposizione tra l'oggetto sottoposto alle categorie della ragion sufficiente e il soggetto che, per definizione, dovrebbe sfuggire a esse": tappe decisive, certo, ma in tutto e per tutto derivate, dentro la logica del discorso. Il momento della verità sta altrove, nella mossa argomentativa che dà origine all'intera "genesi concettuale" del tempo: mossa che investe il tema, letteralmente *metafisico,* del passaggio all'esistenza.

b) II venire-ad-esistenza del nostro universo, in quanto *differenza* originaria tra "universo materiale" e "universo vuoto", in quanto *instabilità* tale da dar luogo a una freccia temporale *irreversibile,* può essere compreso soltanto a partire dall'assunto di una *creazione simultanea della materia e dell'entropia.* Occorre allora fissarsi su questa origine, per afferrare il vero volto del "divenire" di cui Prigogine ci parla spesso e volentieri con tonalità euforiche. Questo divenire fa, certo, irruzione proprio là dove il sogno di Einstein aveva trovato la sua "espressione piú grandiosa", producendo una "lacerazione del tessuto uniforme dello spazio-tempo". Ma il suo tratto *originario* e *differenziante* non è dato dall'energia, bensí dall'entropia. L'universo puramente geometrico, spazio-temporale vuoto, corrisponde a uno "stato *coerente* che viene distrutto dalla creazione, entropica, della materia". Di qui il "terribile" apoftegma: *la "morte termica" si colloca all'origine* – non al termine – del cammino indicato dalla freccia temporale.

È del tutto superfluo segnalare la ricchezza di stimoli che una tale proposta di neosintesi presenta all'odierna riflessione filosofica. Piú opportuno mi pare invece indicare schematicamente alcune obiezioni a cui essa – non a onta, ma forse proprio a causa della sua forza di suggestione – presta il fianco.

Assumere come punto di partenza di una costruzione teorica la freccia del tempo psicologica rappresenta, in filosofia come in scienza, un'arma a doppio taglio: può sortire effetti liberatori ma anche inibitori o fuorvianti. Soprattutto quando tale assunzione prenda la forma di una riabilitazione ontologica in piena regola. Il rischio che si corre in questo caso è quello di accogliere come *dati* quelle evidenze intuitive del senso e del linguaggio comune che la visione cosmologica si limiterebbe ad "autenticare". Può anche darsi – né sta certo a me stabilirlo – che la denuncia del carattere "mitico" della freccia temporale risenta di una tradizionale refrattarietà dei linguaggi scientifici costituiti alle innovazioni troppo "audaci". Resta comunque il fatto che, nella loro critica sommaria al "modello atemporale" della fisica classica, Prigogine e Stengers lasciano in ombra proprio quella funzione decisiva della scienza che consiste nella scoperta di *paradossi* della realtà, con i quali – come ha osservato giustamente Enrico Bellone – "l'esperienza quotidiana sta ancora oggi facendo i conti": basti pensare, del resto, al trauma inferto dalla rivoluzione copernicana a una millenaria fiducia nelle evidenze sensoriali. Non si vede allora perché mai dovrebbe essere limitata o ingannevole la "simmetria" spazio-temporale della relatività generale, e non invece una visione che ontologizzi quella distinzione tra il "prima" e il "dopo", fin troppo omologa a quell'immediatezza che ci fa parlare apoditticamente di "alto" e "basso" o che poté ingenerare in noi la ben radicata credenza che la stella Sole ruotasse attorno al nostro orbe terraqueo. Come si vedrà meglio nell'ultimo capitolo, in luogo di questa "autenticazione" ontologica della certezza sensibile, risulta piú produttiva la via dell'approfondimento – anche in sede filosofica – del paradosso segnalato da Thomas Gold, uno dei massimi cosmologi contemporanei: noi facciamo esperienza di una vita e di un universo *asimmetrici* rispetto al tempo, mentre tutte le leggi che vi operano possiedono una *simmetria* inconciliabile con la credenza che al tempo sia connaturata una qualità rappresentabile attraverso la metafora della freccia.

L'altra obiezione cui si espone l'enfasi bergsoniana di Prigogine sulla dimensione del vissuto appare del tutto complementare a un'aporia precedentemente evocata: quella di scagliarsi contro il presupposto simmetrico proprio mentre si è costretti a postulare la rottura di simmetria come alterazione di uno "stato coerente" costituito dallo spazio-tempo omogeneo e vuoto (nel senso di Hermann Minkowski). In stretta corrispondenza credo vada qui assunto un curioso contrappasso, riscontrabile nel modo in cui Prigogine affronta la questione del rapporto tra "tempo" ed "eternità": i due termini sono inizialmente posti come antitetici (con una evidente forzatura in sede filosofica), mentre in conclusione del discorso il circolo dell'Eterno Ritorno viene a fungere, proprio nel suo valore originario di metafora del ciclo biologico della rigenerazione, da vero e proprio *alter ego* dell'irreversibilità temporale.

Vi è da chiedersi, allora, dove stia la novità rispetto alle proposizioni del *Timeo* o agli apoftegmi dell'*Also sprach Zarathustra*. E se non sarebbe stato allora opportuno riallacciarsi ad altre definizioni di eternità presenti nella tradizione occidentale; dall'*interminabilis vitæ tota simul et perfecta possessio* di Boezio (*Cons. Phil.*, V, 6, 8-9) a quello *zeitloses Zeitwort* di Ireneo, la cui sentenza Jorge L. Borges amava riportare nella ripetizione "quasi voluttuosa" di Hans Lassen Martensen: *æternitas est merum hodie, est immediata et lucida fruitio rerum infinitarum.* O piuttosto approfondire il paradosso plotiniano della "potenza *senza durata*", che non si manifesta né "prima" né "poi". L'aspetto di una ontologia della potenza o del mero *possibile* chiama in causa un nome che Prigogine e la Stengers, nella loro critica sommaria al "principio di ragion sufficiente", tendono a inchiodare a un modello classico che si limiterebbe a "salvare" gli eventi mediante "approssimazioni fenomenologiche": Gottfried W. Leibniz. La sorpresa che una tale sommarietà suscita è, in questo caso, elevata al quadrato, se si pensa che proprio la riflessione leibniziana avrebbe consentito un approfondimento concettuale di quel delicato tornante del loro discorso che è rappresentato dal problema generale sotteso all'ipotesi della differenza tra universo vuoto e universo materiale, mondo virtuale e mondo reale: il problema del *passaggio all'esistenza.* Anche in Leibniz, infatti, tale questione è introdotta da una domanda sull'origine, anzi: "sull'origine radicale delle cose". E la forma di questa domanda non poteva essere che la piú radicale delle interrogazioni possibili: "Perché esiste qualcosa piuttosto che nulla?".

1.3. *"Perché esiste qualcosa piuttosto che nulla?". Leibniz e Heidegger*

1.3.1. *Ontologia del possibile*

All'inizio del testo leibniziano *De rerum originatione radicali* (il cui manoscritto reca la data 23 novembre 1697) ci imbattiamo in un passo che sembra essere scaturito dalla penna di un Borges: "Immaginiamo che il testo degli Elementi di Geometria sia stato eterno, sempre scrivendosene uno in base a un altro precedente: è chiaro che, pur potendosi rendere ragione del libro presente in base all'altro da cui è stato tratto, qualunque numero di libri si prenda all'indietro, non si verrà tuttavia mai a una ragione piena, potendosi sempre chiedere perché, fin dall'inizio dei tempi, siano esistiti libri siffatti, e perché scritti in quel modo. Quel che è vero dei libri, è vero anche dei diversi stati del mondo, ciascuno derivando in qualche modo dal precedente (sia pure secondo determinate leggi di mutamento). Pertanto, per quanto si risalga negli stati anteriori, non si troverà mai in essi la ragione piena perché esista un qualche mondo, e fatto proprio in questo modo" (ed. Gerhardt, VII, 302). Su questo sfondo si staglia l'interrogativo radicale: *Perché esiste qualcosa piuttosto che nulla?* La domanda di Leibniz è una domanda *estrema*. Domanda letteralmente *marginale*: essa lambisce i margini del linguaggio metafisico, ponendo la parola fine alla catena dei rimandi causali. *Oltre* tale domanda, nessuna "spiegazione" può essere piú addotta. Di qui la diffusa tendenza a liquidarla come "mal formulata", "priva di significato", o addirittura folle: "Ma perché", ha giustamente notato Robert Nozick, "la rifiutano allegramente invece di osservare con disperazione che essa pone un limite a quello che possiamo sperare di capire? È una domanda cosí formidabile che anche uno che di recente l'ha ripresa e la chiama 'la domanda fondamentale della metafisica', Heidegger, non propone risposte e non cerca nemmeno di far vedere come le si potrebbe rispondere".

L'interrogazione era stata sí ripresa da Heidegger nella *Einführung in die Metaphysik*, ma, a onor del vero, in una forma sensibilmente modificata: "Perché in generale l'ente piuttosto che il nulla?". In questo testo (che va considerato uno dei documenti essenziali della "svolta": benché pubblicato soltanto nel 1953, esso riproduce infatti l'omonimo corso tenuto nel semestre estivo del 1935) la traccia argomentativa heideggeriana prende le mosse proprio dalla "disperazione" di cui parlava Nozick: è nei momenti di "profonda disperazione" (*grosse Verzweiflung*) che quella domanda risorge, "quando ogni consistenza delle cose sembra venir meno e ogni significato offuscarsi" (*wenn alles Gewicht aus den Dingen schwinden will und jeder Sinn sich verdunkelt*). Essa può ripresentarsi però – soggiunge Heidegger – anche "in una esplosione giubilante del cuore [*in einem Jubel des Herzens*], allorché repentinamente tutte le cose si trasformano e ci attorniano come per la prima volta, tanto che riuscirebbe piú

facile concepire che esse non siano piuttosto che siano cosí come sono". Oppure può coglierci "in certi momenti di noia, quando ci sentiamo ugualmente distanti dalla disperazione come dalla gioia; ma in modo tale che l'incombente normalità di ciò che è induce a una desolazione nella quale appare indifferente che ciò che è sia o non sia".
Ma sia che la domanda venga colta in tutta la sua portata, sia che attraversi come un "turbine passeggero" (*flüchtiger Windstoß*) la nostra esistenza senza venir riconosciuta, essa non si pone mai *temporalmente* per prima: il suo stesso porsi richiede infatti un'effrazione della nostra gabbia domestica, una paradossale revoca in questione di abitudini radicate del nostro vivere e del nostro pensare. Per questa stessa ragione, però, essa è la *prima* in un senso del tutto opposto a quello temporale: "per il suo rango". A tale "rango" Heidegger attribuisce un triplice significato. "Perché in generale l'ente piuttosto che il nulla?" è la domanda – insieme – piú vasta, piú profonda e piú originaria: i) la piú *vasta*: poiché la sua estensione non riconosce alcun limite al di fuori del nulla (in questo senso essa è *inoltrepassabile*); ii) la piú *profonda*: in quanto chiedersi "perché" vuol dire interrogarsi sulla ragione ultima, sul "fondamento" (*Grund*) dell'ente; iii) la piú *originaria*: in quanto non investe questo o quell'ente singolo ma "l'essente nella sua totalità [*das Seiende im Ganzen*], senza alcuna preferenza particolare".

Stacchiamoci adesso dalla traccia delle riflessioni heideggeriane per andare a verificare direttamente in quali termini la questione era stata impostata da Leibniz. Farò riferimento, com'è ovvio, soprattutto al *De rerum originatione radicali*; ma anche ad altri testi, quali per esempio quello del 1686 sulle "verità prime" o quello del 1701 sulla "dimostrazione cartesiana dell'esistenza di Dio": tenendo in ogni caso sullo sfondo i principali scritti filosofici leibniziani, a partire dalla *Monadologia* e dalla *Teodicea*.
Il principio di "ragion sufficiente" – o, per dirla con Heidegger, il *Satz vom Grund* – è stato spesso e volentieri (da ultimo, come si è visto, dallo stesso Prigogine) inchiodato al rigido "assioma di chiusura" metafisico

del *Nihil est sine ratione* (ed. Gerhardt, VII, 301). L'intera problematica di Leibniz è risultata cosí contratta sui suoi esiti, schiacciata per cosí dire sul "finale di partita" della *salvazione dei fenomeni*, con un inevitabile effetto di smarrimento dei suoi tratti piú originali, meno risolti, e per ciò stesso piú fecondamente "inquietanti". Ma indicativo del riduzionismo di una tale lettura è il fatto stesso che il *principium reddendæ rationis*, anziché risolversi in pura deduzione geometrica, debba consistere in primo luogo nell'interrogarsi "perché esista qualcosa piuttosto che nulla" (ed. Gerhardt, VII, 289). L'impostazione leibniziana può intanto porre il quesito estremo dell'essere e del nulla, proprio in quanto muove dall'assunto della *contingenza* dell'ente nella sua totalità materiale (non dimentichiamo che, per Leibniz, "verità prime *rispetto a noi* sono le cose esperite [*experimenta*]"). È a partire da tale premessa che egli introduce le altre due categorie portanti della sua metafisica: *possibilità* ed *esistenza*.
La domanda estrema non avrebbe senso alcuno se la Sostanza implicasse *realmente* nella sua essenza anche l'esistenza. Sta qui la chiave per afferrare il senso della critica alla ripresa cartesiana della "prova ontologica" di Anselmo: l'implicazione dell'esistenza si dà bensí per Leibniz, ma solo a livello di *possibilità*. La conseguenza è assolutamente decisiva, poiché la dimensione del possibile finisce in tal modo per conficcarsi nel cuore stesso della sostanza: "Infatti, poiché l'essenza di una cosa è ciò che ne costituisce la possibilità in particolare, è molto chiaro che esistere in virtú della propria essenza è esistere in virtú della propria possibilità". Si apre per questa via uno scarto tra *reale* e *possibile*, esistenza *effettuale* ed esistenza *virtuale*, che induce un effetto sottile ma potente di *desacralizzazione* della Sostanza. Il "mondo presente" (*mundus præsens*) è necessario solo *physice seu hypothetice*, "fisicamente o ipoteticamente", non *absolute seu Metaphysice*, "assolutamente o metafisicamente" (ivi, 303). La "radice ultima" (*ultima radix*) degli enti non può essere allora ricercata nella "catena degli stati o serie di cose il cui aggregato costituisce il mondo", ma in qualcosa di radicalmente *differente* da essa e che ponga fine ai rimandi del "ren-

der ragione": *cujus ratio reddi non possit.* Occorre, in altri termini, che esista "qualcosa di diverso dalla pluralità degli enti, o mondo, che abbiamo ammesso e mostrato non avere necessità metafisica". Questo *aliquid* è definito da Leibniz, nel piú schietto dei linguaggi metafisici, come *Ens unum* necessario: la cui *essentia* implica *existentia.* E tuttavia il modo in cui egli pone la relazione tra il Superente extramondano e il Mondo si discosta sensibilmente dal quadro cartesiano e spinoziano della metafisica della sostanza.

L'indicatore dello scarto è dato dal porsi di una questione ulteriore: "in che modo dalle verità eterne, o essenziali, o metafisiche" si originano "verità temporali, contingenti o fisiche"? Il passaggio è davvero decisivo, benché *prima facie* impercettibile: la domanda estrema si è spostata dal piano del perché – della ricerca del *Satz vom Grund* – a quello del *come.* Ma intanto l'interrogazione può vertere sul *modo,* in quanto l'esistenza di qualcosa piuttosto-che-nulla è stata ormai assunta come un *fatto:* "dobbiamo anzitutto riconoscere", afferma Leibniz in un passo di straordinaria intensità speculativa, "che, per il fatto stesso che esiste qualcosa piuttosto che nulla [*aliquid potius existit quam nihil*], nelle cose possibili, ovvero nella stessa possibilità o essenza, vi è un'esigenza di esistenza [*exigentia existentiæ*], o (per dir cosí), una pretesa di esistere [*prætensio ad existendum*]: in una parola, che l'essenza tende per se stessa all'esistenza". La conseguenza che viene fatta direttamente seguire a queste premesse è che "tutti i possibili [*omnia possibilia*], ossia tutto ciò che esprime l'essenza o realtà possibile, tendono con pari diritto [*pari jure*] all'esistenza" (*ibidem*).

Nello scritto sulle "verità prime", che anticipa di quasi un decennio il *De rerum originatione radicali,* Leibniz aveva già detto a chiare note che la proposizione "ogni possibile esige di esistere" si poteva provare solo *a posteriori,* solo una volta posta l'esistenza di *aliquid.* Infatti, delle due l'una: o tutto esiste, e allora ogni possibile – per la sola *prætensio ad existendum* – esiste anche effettivamente (ma in tal caso si ricadrebbe nell'indistinzione spinoziana di "possibilità" e "realtà"); oppure alcune cose non esistono, e in tal caso il *principium reddendæ rationis* deve spiegare perché alcune esistano a differenza di altre. Ma ragione di ciò non si può rendere se non sul "fondamento generale dell'essenza o della possibilità", supponendo che tutti i possibili esigano per loro natura l'esistenza in proporzione al "grado di essenza" che contengono: "Se nella stessa natura dell'essenza non vi fosse una qualche inclinazione a esistere, nulla esisterebbe". È ben vero che l'intera costruzione leibniziana non si reggerebbe qualora si prescindesse da "una sorta di *mathesis* divina o di meccanismo metafisico" (ed. Gerhardt, VII, 304) che si esercita nell'origine stessa delle cose. Il presupposto della coordinazione universale degli enti e dell'"armonia prestabilita" non deve tuttavia indurci a trascurare la tensione latente nel sistema tra il polo costituito dall'*incompossibilità* e dal "conflitto di tutti i possibili che esigono l'esistenza" (*ivi*, 209) e il polo costituito dall'*Ens existentificans*. In quanto Ente "esistentificante", Dio non solo fa sí che esista qualcosa piuttosto che nulla, ma anche che *omne possibile habeat conatum ad Existentiam*, che "ogni possibile abbia un conato all'esistenza", dal momento che l'universale non ammette una ragione di restrizione dei possibili. Da ciò consegue però soltanto che "ogni possibile può essere detto *existiturire* in quanto si fonda sull'Ente necessario esistente in atto, senza il quale non vi sarebbe alcuna via per cui il possibile pervenga all'atto"; ma *non* che "tutti i possibili esistano", che l'intera gamma della *potenza* pervenga all'*atto*: ciò che si darebbe esclusivamente a condizione che tutti i *possibilia* fossero *compossibilia* (*ivi*, 289). Ma poiché, nella pretesa di esistere tutti, i possibili si trovano in conflitto, solo alcuni – in ragione della reciproca incompatibilità – giungono all'esistenza. Sta qui l'inestirpabile radice della *divergenza delle serie.*

Se si tiene presente questo aspetto del conflitto e della tensione appariranno meno scontati anche i fin troppo noti esiti "armonicistici" della speculazione leibniziana: la "serie massima dei possibili", il mondo come "κόσμος di compiuta bellezza", l'Ordine come orchestrazione di "dissonanze", la metafora della tela coperta o quelle dell'Architetto e del Principe. Nonostante l'affiorare – come ha giustamente segnalato Vittorio Mathieu – di un'attitudine *noologica* "inconsapevolmente plotiniana" (si pensi, d'altra parte, al carattere non fittizio della pura virtualità o potenza, che esiste "in una certa [...] regione delle idee, e cioè in Dio stesso"), la costruzione leibniziana appare attraversata in lungo e in largo dall'elemento dinamico-conflittuale di un "possibile" capace di operare come *vis activa*. Al di là delle diverse ampiezze di veduta o dei diversi gradi di distinzione, la *perspectiva* della monade è animata da un *appetitus* che sembra aver incorporato in sé la pulsione vitalistica e competitiva inscritta *ab originibus* nel "conato all'esistenza" dei possibili. Proprio per questo la rappresentatività della monade non ha nulla di puramente contemplativo, ma piuttosto un carattere pratico-attivo: appetito che rappresenta e rappresentazione che appetisce. A partire da questa attitudine "prospettica" e "progettante" della monade, riceve nuova luce anche il tema della *complessità del semplice*: è in virtú della *perceptio* che in ogni semplice si trova già implicato il molteplice, ed è nell'infinita gamma delle sue differenze che si replica il senso cosmico del σύμπνοια πάντα, del "cospirare di tutte le cose".

1.3.2. *Sguardo straniero*

Toccando i temi della *perspectiva* e della *repræsentatio*, siamo giunti alle soglie del viaggio che ci eravamo proposti, e che ci condurrà per quei labirinti della concezione e dell'esperienza moderna del tempo, di cui il "barocco" metafisico leibniziano rappresenta uno dei telai costitutivi. Prima di intraprendere il cammino, vorrei tuttavia ancora soffermarmi sulla "piega" nihilistica della domanda di Leibniz.

Tale risvolto può essere esaminato anche da un punto di vista *logico-filosofico* rigoroso, come ha fatto per esempio Nozick nelle sue *Philosophical Explanations*. Il quesito "Perché esiste qualcosa piuttosto che nulla?" presuppone, secondo Nozick, l'assunto di fondo di una "teoria non ugualitaria". Con questa espressione è da intendersi una teoria che divide gli stati in due classi: gli stati N (naturali o privilegiati) che non richiedono (né ammettono) spiegazione e quelli che viceversa la richiedono (che vanno cioè spiegati come "devianze" da N imputabili causalmente all'azione di forze F).

Nozick adduce al riguardo gli esempi di Aristotele e di Newton: per il primo, lo "stato naturale" che non richiede spiegazione era la quiete, e le deviazioni da questo stato si determinavano per l'azione costante esercitata da forze impresse; per il secondo era invece costituito dalla quiete e dal moto rettilineo uniforme, mentre tutti gli altri moti dovevano essere spiegati mediante "forze non controbilanciate che agiscono sui corpi". A questi due esempi potremmo affiancare dal canto nostro, sullo sfondo della ricostruzione appena svolta, proprio quello di Leibniz. Con risultati un po' curiosi, se non addirittura paradossali: per la metafisica leibniziana *nessuno* stato del mondo soddisfa i requisiti di N, poiché ogni situazione del mondo, anzi il mondo nel suo complesso, necessita – in quanto contingenza e devianza – di una giustificazione. Si potrebbe azzardare allora, sempre avvalendoci della stilizzazione di Nozick, che il solo "stato N" sia rappresentato in Leibniz dalla mera potenza o virtualità, dall'universalità puramente trascendentale dei "possibili", e che E sia costituito invece dall'azione impressa a questi ultimi dall'*Ens existentificans.* Riceverebbe cosí un'ulteriore conferma e chiarificazione la tesi per cui *nulla* esisterebbe senza il conato all'esistenza impresso ai possibili dalla forza "esistentificante" di Dio.

Ma torniamo alla forma di domanda "Perché c'è X anziché Y?". A essa si attagliano per Nozick particolarmente le teorie non ugualitarie: "C'è uno stato non-N anziché uno stato N a causa delle forze F che hanno allontanato il sistema da N. E se c'è uno stato N, c'è perché nessuna forza non controbilanciata ha allontanato il sistema da N". È in conformità a questo dispositivo che la domanda "Perché esiste qualcosa piuttosto che nulla?" implica "una presunzione favorevole alla nientità [*a presumption in favor of nothingness*]" (Robert Nozick, *Philosophical Explanations,* Cambridge, Mass. 1981, 122). La domanda ha, in altri termini, un senso solo se si presume che il nulla sia lo stato naturale o privilegiato che non ha bisogno di spiegazioni, mentre ogni devianza dal nulla – sia pure un *aliquid* impercettibile – va spiegata mediante il ricorso a fattori causali speciali. La difficoltà del problema risiederebbe però a

questo punto nel fatto che “qualsiasi fattore speciale in grado di spiegare una deviazione dalla nientità diverge a sua volta dalla nientità, per cui la domanda chiede di spiegare anche quello”. La questione che Nozick deve porsi a questo stadio della sua *explanation* suona davvero schiettamente “leibniziana”: è possibile immaginare il nulla come uno stato naturale – ovvero una *situazione simmetrica iniziale* – che “contenga in sé la forza con cui produrre il qualcosa?”. Osservo solo per inciso che ciò che il filosofo americano intende per forza produttiva dell’*aliquid* ha, nella tradizione europea, un nome preciso: δύναμις (o, nella trasposizione latina, *potentia*). Resta tuttavia in piedi la plausibilità dell’argomentazione: assumere il Nulla come stato “naturale” potrebbe anche voler dire che esso deriva da una potentissima forza “nientificante” (tanto per intenderci: simmetrica e opposta all’“esistentificante” di Leibniz), una *vacuum force*, una “forza aspirante che risucchia le cose nell’inesistenza”. Diremmo allora che *il Nulla “nientifica” se stesso*: *See how Heideggerian the seas of language run here!*, “Quanto è heideggeriano, qui, l’oceano della lingua!” – esclama ironicamente Nozick (*ivi*, 123). In base a questa idea si giungerebbe alla conclusione che “c’è qualcosa anziché niente perché c’era una volta una forza di nientità che ha nientato se stessa, producendo qualcosa. Forse, però, si è nientata solo in parte, producendo qualcosa ma lasciando ancora un po’ di forza di nientità [*force for nothingness*] residua” (*ibidem*).
Abbiamo in tal modo l’esatto rovescio dell’*Endspiel*, del “finale di partita” leibniziano. Rovescio talmente perfetto da lasciarne intatti tutti i passaggi intermedi: dalla radicale contingenza del mondo all’allineamento orizzontale (e, per cosí dire, *de jure*) dei possibili. Ma un allineamento siffatto è proprio quello contemplato dalle “teorie ugualitarie”, verso cui Nozick sembra nettamente propendere: “Una teoria ugualitaria [*egalitarian theory*] coerente non considererà piú naturale, o privilegiato, il non esistere o non sussistere, nemmeno per una possibilità, e metterà tutte le possibilità sullo stesso piano. Un modo per farlo è quello di dire che tutte le possibilità sono realizzate” (*ivi*, 128). Conclusione – ancora – clamorosamente leibniziana, si sareb-

be portati a dire. Salvo due differenze: “impercettibili”, forse, ma davvero decisive. *In primo luogo*: le possibilità sono in Leibniz tutt’altro che “fittizie”, come si è visto, ma *non* realizzate: sono *soltanto* idealmente presenti, *pari jure*, “in Dio”, essendo la loro *compossibilità* intrinsecamente condizionata dalla universale concorrenza a esistere. *In secondo luogo*: abbracciare la teoria ugualitaria non implica soltanto, rispetto alla domanda “Perché esiste qualcosa piuttosto che nulla?”, una neutralizzazione del contrasto implicito nel *piuttosto-che*, ma un azzeramento del paradosso che proprio *quella* particolare forma di interrogazione – e non un’altra – tenta di indicare o di evocare.

Un ordine affatto diverso di considerazioni troviamo invece sotteso alla declinazione heideggeriana del quesito di Leibniz. Poiché non è né il luogo né il momento di risvegliare le “guerre dell’etimologia” (per riprendere una felice battuta di Jacques Derrida), risparmierò al lettore e a me stesso la discussione e la critica della “grammatica della parola *essere*” secondo il pensatore dello Schwarzwald. Mi limiterò pertanto ad affacciare una possibile chiave di lettura che spero risulti piú adeguatamente argomentata nel corso della trattazione (cfr. in specie *ultra*, 4.2. e 4.3.).

Heidegger sembra dare rilievo non solo o non tanto alla forma della domanda (che egli pure ritiene, come abbiamo già visto, la piú “vasta”, “profonda” e “originaria” della metafisica), quanto piuttosto al *porsi* della domanda come tale: “Il porsi di questa domanda, nei confronti dell’ente come tale nella sua totalità, non costituisce un fatto qualsiasi, che si verifichi accidentalmente nell’ambito dell’ente, come per esempio il cadere delle gocce di pioggia”. Proprio in quanto s’interroga sul “perché”, la domanda fronteggia l’ente nella sua totalità. Se ne distacca, prende le distanze da esso – anche se mai pienamente. Di qui il “risalto”, per cosí dire marginale, che la domanda assume. Proprio a causa di questo porsi-di-fronte all’ente senza peraltro potervisi sottrarre, fa sí che “ciò che viene domandato si ripercuota sul domandare stesso”. Il porsi stesso della domanda diviene allora a questo punto un “accadimento peculiare, ciò che noi chiamiamo un evento

[*Geschehnis*]". In termini leibniziani, la questione che Heidegger ci viene proponendo a ondate successive, potrebbe essere seccamente formulata nel seguente modo: quale virtualità o possibile si "esistentifica" attraverso il *perché* della domanda? La questione è tutt'altro che oziosa, dato che la problematica tende costantemente a spostare il proprio baricentro dall'interrogazione all'interrogante, dalla forma all'esistenza: è l'ente-uomo a essere esistentificato, giungendo – mediante quella domanda – a riconoscere nel proprio *Dasein* una paradossale compresenza di inerenza ed estraneità alla totalità dell'*ente* e, reciprocamente, di prossimità e distanza dall'essere: la domanda sul "perché", in altri termini, si basa su un "salto" (*Sprung*); ma, d'altro canto, nessuno può saltare sulla sua ombra. Questo passaggio è scandito da due momenti, interconnessi ma distinti. In prima istanza, Heidegger sembra voler mettere in guardia dal rischio antropocentrico di porre in primo piano l'uomo in quanto ente particolare: "Perché che cos'è in fondo questo ente? Raffiguriamoci la terra nell'universo, dentro l'oscura immensità

dello spazio. Al suo confronto, essa è come un minuscolo granello di sabbia fra il quale e il piú prossimo granello della stessa grandezza si estendesse un chilometro e piú di vuoto: sulla superficie di questo minuscolo granello di sabbia vive un ammasso caotico, confuso e strisciante, di animali che si pretendono razionali e che hanno per un istante inventato la conoscenza [...]. E che cos'è mai l'estensione temporale di una vita umana nel giro di tempo di milioni di anni? Appena uno spostamento della lancetta dei secondi, un breve respiro. Non sussiste alcun motivo perché, all'interno dell'ente nella sua totalità, si debba porre in primo piano quell'ente chiamato uomo, alla cui specie noi stessi per caso apparteniamo". Ma, in seconda istanza, questo stesso, insignificante, ente-uomo viene investito di una funzione in tutto e per tutto unica, poiché attraverso di lui si pone la domanda che fronteggia l'ente nella sua totalità – e che, quindi, per la prima volta fa apparire l'ente *come tale*. Tale domandare – lo abbiamo già visto – non costituisce un *fatto qualunque*, ma assurge al rango di *evento*. Proprio a partire dal periodo in cui tiene il corso *Einführung in die Metaphysik*, che sono poi gli anni della *Kehre*, Heidegger viene a saldare questo *Geschehnis* a una generale "eventualità" dell'Essere che si viene progressivamente manifestando nella "storia del Nihilismo e della Metafisica".

Vi è dunque nella riflessione heideggeriana un duplice piano di discorso: il piano, che definirò per brevità logico-filosofico, in cui si pone "leibnizianamente" la questione dell'essere e del nulla; e il piano, che definirò per brevità ontostorico, in cui la problematica del nihilismo viene "nietzscheanamente" agganciata alla traiettoria della metafisica occidentale letta in chiave di storia-ventura (*Geschichte-Geschick*) dell'Essere. Il passaggio dal primo piano al secondo appare, nell'ottica che propongo, tutt'altro che necessario e, per alcuni aspetti, niente affatto coerente: esso ha molto meno a che vedere con il destino dell'essere che con l'opzione soggettiva del "pensatore Heidegger". Il piano logico-filosofico sta, infatti, saldamente in piedi senza alcun bisogno di ricorrere al secondo, che anzi ne diluisce talvolta la portata speculativa, alterandone o addirittura neutralizzandone i paradossi. Il problema radicale dell'essere e del nulla non è una questione che si ponga "provvidenzialmente" a un determinato stadio della storia del Nihilismo, a un'"ora x" dell'"oblio" o della "manifestatività" *destinale* dell'Essere. È un problema che *può* porsi, e che è stato di fatto variamente posto, in tutte le "epoche" della riflessione filosofica. Lo specifico contributo heideggeriano alla questione sollevata da Leibniz sta – come aveva osservato a suo tempo Luigi Scaravelli in un magistrale saggio su *Il problema speculativo di Martin Heidegger* – nella dimostrazione che l'"unità in cui l'essere e il nulla coincidono non è l'identità, né la dialettica del sapere". Questa unità avviene piuttosto "come continuo *allontanarsi in noi dell'essere di noi stessi*, in quanto l'allontanarsi di quest'essere è l'*agire* come *costruzione d'una realtà* che è il *mondo* stesso" (Luigi Scaravelli, *Opere*, I, 311 [*c.m.*]).

Il tema della "costruzione della realtà" mobilita cosí l'esigenza di una "stilizzazione" teoretica del concetto di *Neu-Zeit*, tale da sottrarlo alla dittatura dell'"attualità": "moderno" non deriva forse dall'avverbio latino *modo*, che significa appunto "or ora", "testé", "appena accaduto"? Per questo mi pare utile impostare una *localizzazione* puntuale della problematica della temporalità nell'Età Nuova, suggerendo un supplemento di riflessione su parole-chiave come *perspectiva* e *repræsentatio*. Ciò significa essenzialmente evidenziare differenze filosofiche – prima ancora che scansioni "epocali". A queste ultime sembra, invece, particolarmente affezionato il "secondo" Heidegger, nel suo tentativo di interpretare il destino di una Rappresentazione sempre piú trafitta dalla freccia del tempo a partire dall'assunto di un *Grund-zug*: di un tratto essenziale della *Darstellung* o costruzione-di-oggettività coincidente con la *direzione fondamentale* dell'essere. Il riduzionismo – non tanto storico, quanto squisitamente concettuale – della lettura heideggeriana è riscontrabile nella sua ossessiva concentrazione sul Cogito cartesiano, a cui viene assegnata la funzione di punto di svolta e di "trasformatore" esclusivo delle categorie metafisiche nella direzione di una Volontà di potenza pienamente dispiegata. Si comprende allora come la dominanza di questo assunto induca Heidegger a sorvolare anche su vistosissime differenze, spingendolo ad assorbire nel campo gravitazionale del Cogito la stessa metafisica leibniziana: "Leibniz", si legge nell'ultimo corso delle lezioni di Marburgo (semestre estivo 1928), "nonostante tutte le differenze rispetto a Descartes, considera con questi l'autocertezza dell'io come certezza primaria e [...], come Descartes, vede nell'io, nell'*ego cogito*, la dimensione da cui devono essere attinti i concetti metafisici fondamentali".

Tutta la parte centrale di questo libro è dedicata alla ricostruzione di alcuni passaggi costitutivi di quella Rappresentazione moderna che sembra fondere in sé – per dirla con Italo Calvino – "due funzioni vitali": *sintonia* e *focalità*, "partecipazione al mondo intorno a noi" e "concentrazione costruttiva", Hermes ed Efesto. Essa non ha tuttavia primariamente come obiettivo quello di fare emergere la complessità stratigrafica da cui si originano i regimi discorsivi di un'"immagine del mondo" che, da oggettiva ed esclusiva, diviene sempre piú soggettiva, inclusiva e impregnata di "storicità" (a una tale "archeologia" – declinata assai diversamente da quella di Michel Foucault – ho già tentato di contribuire con il mio volume del 1983 *Potere e secolarizzazione*). Si tratta piuttosto di riesaminare, sottoporre a verifica, in una parola *approfondire*, i presupposti *metafisici* di alcune operazioni fondamentali della cosiddetta Modernità: dalla prospettica spaziale alla prospezione infuturante, dalla costituzione della sfera del conoscere come attività produttiva alla distinzione tra *corso* e *ordine* del tempo. Questi presupposti sono segnati non tanto da una pluriversale varietà di "ragioni", quanto dall'ambivalenza – per adottare la celebre endiadi schopenhaueriana – di "mondo-volontà" e "mondo-rappresentazione": anche se poi, nell'odierno dibattito filosofico, l'"ambivalenza" sembra dar adito a una divaricazione tra una posizione "neotragicista" (che enfatizza l'aspetto della "volontà") e una "neorazionalista" (che stilizza l'aspetto della "rappresentazione" e dei suoi regimi discorsivi). Da questa *discordia concors* il presente libro si tiene ben discosto. Cosí come si sente estraneo all'opposizione speculare tra euforia "neoeraclitea" del divenire o dell'emergenza-del-nuovo ed enfatizzazione "neoparmenidea" dell'Essere e della Verità. Dinanzi allo *Spiegelspiel* di tante dispute recenti vengono alla mente le parole di Pascal: "Coloro che fanno antitesi forzando le parole sono come coloro che fanno false finestre per la simmetria: la regola, per loro, non è di parlare giusto, ma di comporre figure giuste" (*Pensées*, ed. Brunschvicg, 27).

Rispetto a tutte le figure di questo *theatrum philosophicum*, la conclusione del libro non propone – come si vedrà – un *tertium* o una conciliazione, ma un drastico *spostamento laterale* della problematica: del *modo stesso dell'interrogazione*. Con ogni probabilità, l'esito non riuscirà particolarmente gradito a quanti riposano tranquilli nella credenza che l'essere *è* tempo. E tuttavia non pretendo affatto di "aver-ragione" di loro. Nel redigere queste pagine, ho tenuto ben presente l'aforisma dei *Minima moralia* dedicato "Ai postsocratici": "Nulla si addice meno all'intellettuale che vorrebbe esercitare ciò che un tempo si chiamava filosofia, che dar prova, nella discussione, e perfino – oserei dire – nell'argomentazione, della volontà di aver ragione. La volontà di aver ragione, fin nella sua forma logica piú sottile, è espressione di quello spirito di autoconservazione che la filosofia ha appunto il compito di dissolvere. [...] Quando i filosofi, a cui si sa che il silenzio riuscí sempre difficile, si lasciano trascinare in una discussione, dovrebbero parlare in modo da farsi dare sempre torto, ma – nello stesso tempo – di convincere l'avversario della sua non-verità".

L'interrogazione sul tempo prende perciò in questo libro la forma – per dirla con Heidegger contro Heidegger – della *Er-örtung*: di una trattazione o *disputatio* che è al contempo anche una *localizzazione*. Si tratta tuttavia di una *location* intrinsecamente e consapevolmente provvisoria, benché per passaggi serrati essa venga dipanando un "gomitolo narrativo" che funge da guida in un viaggio circolare. Al termine del viaggio si ritorna al punto di partenza. Ma una mossa laterale consentirà di visualizzarlo in modo radicalmente diverso: dalla prospettiva di uno Straniero, di un "non-domestico" (*Un-heimlich*), che nessuna filosofia del tempo improntata al "gergo dell'autenticità" sembra essere riuscita – finora – a includere e irretire nel proprio cerchio.

2. Prospettiva, aspettativa: rimandi spaziali e coordinate temporali

La parola "prospettiva" implica un riferimento di ordine spaziale. "Aspettativa" un riferimento di ordine temporale. I sensi dei due termini vanno tuttavia assunti come un intreccio – un sistema di rimandi reciproci – inestricabile sotto un triplice profilo: a) linguistico, b) concettuale, c) simbolico. Questi tre livelli faranno da contrappunto alle nostre osservazioni, venendo a costituire i momenti o le articolazioni di un unico discorso. Cominciamo, dunque, con la dimensione linguistica del problema. "Prospettiva" viene da *prospicere* (= guardare innanzi): termine di origine indoeuropea, composto di *pro* (davanti) e *specere* (guardare). Il suo significato sarebbe dunque, a rigore, quello di "rappresentazione piana d'una figura spaziale, che riproduce la visione che della figura ha un osservatore in una certa posizione". Per questa via la parola si troverebbe associata all'idea della proiezione e assimilata alla famiglia di tutti quei termini che – al pari di "progetto", "prospetto" ecc. – contengono l'immagine del gettare-innanzi o del guardare-innanzi. Senonché il termine latino – risalente al testo di Boezio sull'interpretazione degli *Analitici posteriori* di Aristotele – suona *perspectiva*, e in questa forma esso persiste nel tedesco *Perspektive*, nel francese o nell'inglese *perspective* e nel castigliano *perspectiva*. Di qui il rimando al verbo *per-spicere*, che Erwin Panofsky – nel suo celebre saggio *Die Perspektive als "symbolische Form"*, apparso nel 1927 nella serie delle conferenze della Biblioteca Warburg – propone di assumere non tanto nel senso di "vedere attraverso", quanto piuttosto nel senso di "vedere distintamente". Lungo la medesima traccia, il vocabolo viene ricondotto a una traduzione letterale della parola greca ὀπτική e, pur non avendo originariamente un significato cosí pregnante, omologato alla definizione fornitane da Dürer. Secondo la "circoscrizione" düreriana del concetto di prospettiva, si dà intuizione propriamente "prospettica" dello spazio là dove, e soltanto là dove, non solo i singoli elementi vengono rappresentati "di scorcio", bensí dove l'intero "quadrangulo" – secondo le parole di Leon Battista Alberti – diviene "una fenestra aperta per donde io miri quello que quivi sarà dipinto".

Non è mia intenzione affrontare in questa sede le implicazioni metafisiche di una questione che, alle soglie della modernità, sembra riclassificare i termini dell'antitesi platonica di λόγος e γραφή fino a produrne una vera e propria conversione di senso. Mi limiterò, pertanto, a schizzarne solo i tratti essenziali. È ben nota l'ostilità di Platone verso la γραφή. In un celebre passo del *Fedro* essa viene bollata non solo come inganno e illusione, ma come vera e propria deflazione ontologica, inesorabile declino di senso dell'essere: "E però chi pensa di affidare l'arte [τέχνη] alla scrittura e chi a sua volta vi attinge nella lusinga di apprendere, grazie a essa, qualcosa di chiaro e di definito, è di una ingenuità senza pari e dimostra di ignorare l'oracolo di Ammon, perché stima la scrittura qualcosa di piú che un mezzo per rammentare a chi già sa le cose trattate nello scritto [...]. In realtà, caro Fedro, la scrittura [γραφή] presenta questo difetto: è cosa del tutto simile alla pittura. Sai bene che i prodotti della pittura si presentano quasi fossero vivi. Ma prova a interrogarli: silenzio assoluto. Cosí pure le opere scritte. L'impressione prima è che esse parlino come esseri pensanti. Ma, ove tu rivolga loro qualche domanda di schiarimento di ciò che intendono, non ti rispondono che una sola cosa, e sempre la stessa" (*Phædr.*, 275d). Il testo scritto produce l'apparenza fallace di una cattura della verità nella trama dei segni, dell'irriproducibile nelle maglie del riproducibile. Ma è esattamente l'identica fallacia che viene indotta dalla pittura. Γραφή vale dunque nella duplice significazione di scrittura e pittura: essa è propriamente *di-segno, de-cisione.* L'incisione, in cui la γραφή per sua essenza consiste, rappresenta in altri termini un taglio, una ferita inferta al corpo dell'essere. Folle, per Platone, chi pensa che la Verità possa aver dimora in una tale *impressione,* il cui unico effetto è di alterare il *continuum* omogeneo del discorso inducendovi l'affezione della *differenza.* In quanto ἀ-λήθεια, opposizione al Lete, il-latenza, la verità può aver luogo soltanto nell'*espressione* del Logos vivente: organismo refrattario a ogni φάρμακον. Nel suo volume del 1972, *La dissémination,* Jacques Derrida – cui si deve l'innesto filosofico del tema della γραφή su quello heideggeriano della "differenza ontologica" – ha evocato a questo proposito quel passo del *Timeo* in cui la distanza tra l'Egitto e la Grecia si iscrive nello scarto tra scrittura-pittura e parola: mentre "un greco non è mai vecchio", in Egitto "fin dall'antichità, tutto è scritto", πάντα γεγράμμενα. Della vecchiezza egizia, a fronte dell'eterna fanciullezza greca, sarebbe dunque colpevole quella presunzione ermetico-sapienziale che affida le chiavi della verità al segno grafico anziché al fluente dispiegarsi del λόγος: all'*impressione* anziché all'*espressione.* E l'impressione grafica reca in sé, inesorabilmente, lo stigma funerario che la mitologia assegna al suo inventore: Thot, la divinità egizia che presiede alla contabilità dei morti.

La fortuna dell'antitesi platonica di λόγος e γραφή reca in sé un paradosso: come tutte le opposizioni autenticamente radicali, essa pare aver esercitato la propria incidenza anche in virtú di una diametrale inversione di segno. Se si passa infatti, con un drastico mutamento di scena, al momento topico della genesi del moderno concetto di "prospettiva", ci s'imbatte in un altro testo fondamentale imperniato sul confronto tra parola e "grafica": il *Dialogus de recta Latini Græcique sermonis pronunciatione* di Erasmo da Rotterdam. L'umanista olandese tesse qui (1528) uno dei piú straordinari elogi che mai siano stati pronunciati dell'arte grafica e di colui che ne incarnava allora al massimo grado le potenzialità innovatrici: Albrecht Dürer. Per Erasmo, Dürer era addirittura superiore ad Apelle, il piú celebre pittore dell'antichità classica, perché non aveva alcun bisogno di ricorrere al colore e, nelle sue xilografie e incisioni su rame, era in grado di dare espressione a tutto il tangibile e l'intangibile con delle semplici linee nere. L'essenzialità della linea come elemento costitutivo e *costruttivo* di spazio – per cui, come afferma Panofsky nella sua splendida monografia düreriana, "anche gli effetti piú pittorici sono ottenuti con mezzi rigorosamente grafici" – ci conduce direttamente al centro della rivoluzione prospettivistica.

Siamo cosí, in uno dei punti piú altamente espressivi dell'*imago mundi* rinascimentale, al cospetto di una crucialissima svolta – *non solo* "culturale" – la cui posta in

gioco è rappresentata da un nuovo livello di astrazione dello spazio, nei suoi tratti essenziali sconosciuto al mondo classico. Attraverso il quadro-finestra, osserva ancora Panofsky nel saggio sulla prospettiva, "la superficie materiale pittorica o in rilievo, sulla quale appaiono, disegnate o scolpite, le forme delle singole figure o delle cose, viene negata come tale, e viene trasformata nel 'piano figurativo' sul quale si proietta uno spazio unitario visto attraverso di esso e comprendente tutte le singole cose – indipendentemente dal fatto che questa proiezione venga costruita in base all'impressione sensibile immediata oppure mediante una costruzione geometrica piú o meno 'corretta'".

L'aspetto di radicale discontinuità che viene a profilarsi non consiste, banalmente o arbitrariamente, nel negare *tout court* agli Antichi qualsivoglia nozione di prospettiva (in quanto "scienza di rappresentare oggetti su una superficie cosí come essi appaiono al nostro occhio da una certa distanza", o in quanto mero "scorcio", o in quanto virtualità di raccogliere una o piú figure entro una *ædicula*). Ma consiste piuttosto nel sottolineare – sulla scorta di Lessing – che, a differenza della concezione classica, dove erano gli oggetti, le figure, le forme, a svolgere una funzione prioritaria strutturando lo spazio-contenitore, il κόσμος, in cui erano collocate, è adesso l'astrazione dello spazio, la sua forma "trascendentale", a essere investita delle prerogative "sovrane" e a conferire ruolo e significato agli elementi materiali che in essa geometricamente si dispongono.

Questa "costruzione geometrica 'corretta'" – scoperta nel Rinascimento (pur senza trascurare le significative "aperture" già presenti in un Giotto o in un Duccio) e piú tardi "costantemente perfezionata e semplificata, pur restando immutata nelle sue premesse e nei suoi fini, fino ai giorni di Desargues" – riceve qui una precisa definizione formale. Il "quadro" si presenta come una intersezione piana della "piramide visiva": dove il centro di osservazione funge da fuoco interconnesso ai singoli punti caratteristici della forma spaziale che si intende raffigurare. In tal modo, tutte le ortogonali o linee di profondità vengono a incontrarsi nel "punto di vista", la cui posizione di centralità è determinata dalla perpendicolare che cade dall'occhio sul piano di proiezione, mentre le parallele, comunque siano orientate, hanno un punto di fuga comune. L'astrazione assume cosí – secondo la lezione che Panofsky aveva appreso dal Cassirer di *Substanzbegriff und Funktionsbegriff* (saggio decisivo, di cui ho già analizzato in altra sede l'incidenza sulla stessa filosofia politica e giuridica) – le sembianze dell'omogeneità di uno spazio geometrico in cui tutti gli elementi che vi si raccolgono figurano come altrettanti "punti": contrassegni posizionali che non possiedono alcun contenuto autonomo al di fuori della "relazione", della "posizione" relativa di reciprocità in cui si trovano gli uni rispetto agli altri.

Una definizione siffatta di "prospettiva" appare perfettamente congrua all'intera gamma dei suoi significati: da quelli evocati dalla sua scomposizione etimologica a quelli evidenziati dalla sua evoluzione semantica. Se, infatti, nella sua accezione piú propria e letterale il termine include in sé un riferimento a concetti spaziali

come “lontananza”, “profondità”, “gradazione”, “sfondo”, oppure “ottica”, “visuale”, “angolatura”, “luce”, nel suo uso pragmatico corrente esso contiene un non meno caratteristico rimando metaforico a nozioni temporali come “previsione” o “possibilità”, che lo rende strettamente affine al senso di “aspettativa”.
Per converso, “aspettativa” – a onta del significato squisitamente temporale – ha in comune con “prospettiva” un inequivocabile rimando etimologico allo “sguardo”, in quanto derivato diretto, con semplice cambio di prefisso, da *ex-spectare*. Mentre il sinonimo “attesa”, da *ad-tendere* = tendere-a, discendendo dalla radice indoeuropea *ten-*, contiene in sé l’idea di una dinamica contratta in momentaneo irrigidimento: molto diffusi, del resto, sono i derivati del participio passato *te*(*n*)*su*(*m*), da cui, nel linguaggio medico della Roma imperiale, *tensione*(*m*), che significa appunto – al pari del sostantivo greco τάσις – rigidità, contrazione.
Si profila a questo punto uno *Spiegelspiel*, un curioso “gioco di specchi” tra i termini-concetti prospettiva/aspettativa. In virtú del quale l’uno, costituitosi attorno a coordinate spaziali, finisce per evocare implicazioni temporali, mentre l’altro sembrerebbe procedere, con un movimento inverso ma simmetrico, da coordinate temporali a implicazioni spaziali. In realtà, come vedremo tra poco, questa rete di rimandi speculari sottende un’altra questione di estrema rilevanza teoretica: quella relativa alla possibilità di una concettualizzazione “pura” (e di un’esperienza “autentica”) del tempo a prescindere dallo spazio.
Ma soffermiamoci ancora per un istante sui problemi lessicali e semantici, ritornando alla nozione di aspettativa. Per la sua delucidazione farò riferimento – come già avevo fatto con Panofsky per la nozione di prospettiva – a un altro “autore” (che vorrei qui assumere, in senso prettamente vichiano, come guida e criterio di orientamento in un viaggio filosofico tutt’altro che agevole e sgombro d’insidie). L’autore di cui si parla è Ludwig Wittgenstein. E il testo cui ci si richiama è quello – densissimo, oltre che sussultorio e scabroso – delle *Philosophische Bemerkungen*: testo che, detto incidentalmente, apparirà incomprensibile a chi non abbia dime-

stichezza quantomeno con i temi del *Tractatus logico-philosophicus* (rispetto ai quali esso rappresenta insieme una ripresa e un rovesciamento).
Ora, è oltremodo sintomatico che la definizione di "aspettativa" contenuta nelle *Osservazioni filosofiche* non sia di ordine temporale, bensí di ordine spaziale: "L'aspettativa di *p* e l'attuarsi di *p* corrispondono pressappoco al volume vuoto e al volume pieno di un corpo. *p* corrisponde alla forma del volume e i due diversi modi nei quali essa è data, alla differenza tra aspettativa [*Erwartung*] e attuazione [*Eintreffen*]". L'aspettativa, in altri termini, non è di per sé un evento, ma l'anticipazione di un evento. In tal senso essa costituisce un modello, una pre-visualizzazione, un progetto. Ma il modello di un fatto può darsi solo in quell'unico mondo in cui viviamo. È dunque essenziale all'aspettativa, e alla veduta in cui essa consiste, il riferimento al mondo: e questo, aggiunge Wittgenstein, indipendentemente dal fatto che il modello di aspettativa sia corretto o meno. L'elemento comune tra aspettativa e realtà sta, pertanto, in ciò: la prima "si riferisce a un punto diverso [da quello in cui si trova la realtà, ma] nel *medesimo* spazio". Sotto questo profilo, l'idea di aspettativa ha un fondamentale punto di contatto con l'idea di ricerca: "La ricerca presuppone che si sappia cosa si sta cercando, senza che l'oggetto della ricerca debba necessariamente esistere". Perché si dia aspettativa "è indispensabile che *un* evento – non importa quale – debba per forza subentrarle". E ciò implica, altrettanto necessariamente, che "l'aspettativa deve essere nello stesso spazio del suo oggetto". *Ergo*: si può parlare di aspettativa solo come di "qualcosa che deve essere assolutamente o appagato o deluso [*etwas, was unbedingt entweder erfüllt oder enttäuscht werden muß*]".
Tali proposizioni risulterebbero – ripeto – incomprensibili laddove non si tenesse ben ferma sullo sfondo la concezione generale per cui "non è pensabile un linguaggio che non rappresenti questo mondo" e, al tempo stesso, non è esprimibile dal linguaggio "ciò che appartiene all'essenza del mondo [*Wesen der Welt*]".
Non può tuttavia non colpire la connessione qui istitui-

ta tra una nozione temporale come quella di “aspettativa” e coordinate spaziali: nesso ancora piú sintomatico se si pensa a quale rilievo e incidenza abbia in Wittgenstein la problematica agostiniana del tempo. Ma una tale circostanza può essere rischiarata solo attraverso un rimando al secondo ambito di considerazioni che ci proponiamo di affrontare: quello piú strettamente concettuale, che investirà essenzialmente la *Zeitfrage*, la questione del tempo.

3. Wittgenstein, Husserl e la "disperazione" agostiniana

Per introdurre questo livello del discorso si adotterà qualcosa di molto simile a un artificio retorico, mettendo in scena una domanda che – nell'attuale temperie "postfilosofica" – dovrebbe avere un sapore provocatorio: siamo davvero soddisfatti dell'equazione heideggeriana tra il *Sein* e la *Zeit*, l'"essere" e il "tempo"? Siamo proprio convinti che essa rappresenti un felice approdo, anziché l'avvio di una traiettoria di riflessione tutt'altro che scontata, e soprattutto tutt'altro che esente da incongruità e aporie? Proverò a rispondere imboccando la via maestra del problema: a partire, cioè, da un testo che torna oggi a essere considerato come la vera radice filosofica della concezione moderna del tempo. Orbene, a osservare attentamente le cose, la stessa celeberrima frase che troviamo nel quattordicesimo capitolo dell'XI libro delle *Confessioni* (allorché Agostino, dopo essersi chiesto *Quid est ergo tempus?*, risponde: *Si nemo ex me quærat, scio; si quærenti explicare velim, nescio,* vale a dire: "Se nessuno me lo chiede, lo so; se qualcuno, però, me lo chiede e io cerco di spiegarglielo, non lo so piú") dovrebbe fungere per noi assai piú da moltiplicatore di incertezze e di stimoli problematici, che non da rassicurante sostegno di astratte equazioni. Questa risposta suona, infatti, piuttosto come una dichiarazione di impossibilità che come *fundamentum inconcussum* di una positiva definizione (e – per inciso – il fatto che essa si sia potuta tradurre, grazie al Cogito cartesiano, in tacita premessa del razionalismo moderno, non alleggerisce ma al contrario aggrava il problema).

Tanto è vero che Edmund Husserl, nell'introdurre le sue lezioni sulla "coscienza interna del tempo" dell'anno 1905 (di cui Heidegger curò la pubblicazione della prima "mappa", quasi "al seguito" di *Sein und Zeit*, sull'"Annuario" fenomenologico del 1928), fa osservare come la ripresa delle riflessioni contenute in quelle mirabili pagine debba muovere da una lucida consapevolezza delle insormontabili difficoltà racchiuse nella *Zeitfrage*, sulle quali Agostino si era "affaticato fino alla disperazione". L'aver rimosso o dissimulato la paradossale fecondità della "disperazione" agostiniana costituisce, viceversa, il motivo profondo per cui "in questa materia i tempi moderni, tanto orgogliosi del proprio sapere, non hanno eguagliato l'efficacia con cui la serietà di questo grande pensatore aggredí il problema, né fatto progressi degni di nota".

Ma dove risiede, piú specificamente, il paradosso implicito nella questione del tempo? Sulla scia delle *Confessioni*, Husserl risponde che esso sta in un'enigmatica compresenza di naturalezza e innaturalezza, ovvietà e inesplicabilità. Detto altrimenti: quella stessa esperienza (esperienza "primaria", direbbe Wittgenstein) del tempo che, sul piano del vissuto, ci appare evidente ai limiti dell'ovvio, sul piano della sua definizione linguistica e concettuale sembra invece porci ostacoli insormontabili. Ma leggiamo direttamente i passi salienti dell'introduzione husserliana alle Lezioni di Gottinga: "Naturalmente, cosa sia il tempo, lo sappiamo tutti: è la cosa piú notoria di questo mondo. Tuttavia, non appena facciamo il tentativo di renderci conto della coscienza del tempo, di porre nel loro giusto rapporto il tempo obiettivo e la coscienza soggettiva del tempo, di renderci comprensibile come l'obiettività temporale, e quindi l'obiettività individuale in genere, possa costituirsi nella coscienza soggettiva del tempo, anzi, non appena tentiamo di analizzare la coscienza puramente soggettiva del tempo, l'importo fenomenologico dei vissuti di tempo [*Zeiterlebnisse*], ecco che ci avvolgiamo nelle piú strane difficoltà, contraddizioni, confusioni" (Edmund Husserl, *Zur Phänomenologie des inneren Zeitbewußtseins*, ed. Böhm, "Husserliana X", 3-4).

Dal tessuto di queste riflessioni emerge cosí un'avvertenza fondamentale: non si dà, nel linguaggio filosofico, alcuna "grammatica generativa" della nozione di tempo. Questa l'inesorabile conseguenza da trarre ove si assuma pienamente la serietà della "disperazione" agostiniana. E allora occorrerà chiedersi: se per filosofia si intende un modo del pensiero volto alla definizione concettuale (e non un'attitudine meramente impressionistica ed evocativa), non se ne dovrà a rigore concludere che essa è impotente al cospetto di uno dei suoi rovelli principali, che investe per l'appunto la natura del tempo?

Domanda cruciale, che tiene sullo sfondo un'altra "x", un'altra grande incognita del pensiero occidentale: il tema dell'*esperienza* e della sua famiglia di significati (e a questo proposito vale la pena evocare, sempre in analogia con quanto osservato da Husserl circa l'esperienza del tempo, l'esempio dei colori addotto da Wittgenstein: benché ciascuno di noi faccia quotidianamente una, piú o meno nitida, esperienza dei colori, non è tuttavia in grado di produrne una descrizione linguistica, ma soltanto una campionatura).

L'implicazione inevitabile di questo σκάνδαλον è che non si dà descrizione del tempo se non in base al ricorso a metafore spaziali. Questo aspetto si dimostra centrale se pensiamo al modo in cui, da Platone in poi, la questione del tempo è stata affrontata. Non risale forse al *Timeo* la celebre definizione della successione cronologica (Χρόνος) come icona dell'Αἰών, come "immagine mobile dell'eternità"?

A buon diritto si potrà ravvisare in questa formula un equilibrio difficile e precario: "un accordo", per riprendere le espressioni ironiche di Borges, "che non distoglie nessuno dalla convinzione che l'eternità è un'immagine fatta con sostanza di tempo”. E tuttavia il ricorso platonico (ma non solo platonico) all’εἰκασία sta a indicarci che, anche in filosofia, non si dà altro modo per definire il tempo se non nei termini della “rappresentazione”. Ma rappresentazione e concetto sono, nella tradizione filosofica, due poli intimamente interconnessi: non si danno mai concetti allo stato puro, là dove questi concetti adombrino sensi sottintesi o nodi cruciali della nostra esperienza. Il piú razionalista dei filosofi moderni, nella terza delle sue *Meditazioni*, ci avverte che, ogni qualvolta parliamo di idee, non possiamo non riferirci al tempo stesso a delle immagini, essendo l’idea inconcepibile fuori della forma della rappresentazione. È dunque nel cuore della “rappresentazione” che occorrerà a questo punto introdursi, per rinvenire sia le persistenze che le metamorfosi dell’intuizione del tempo.

4. Alle origini della "Neu-zeit": Soggetto e Rappresentazione

In quali tratti, in quali tracce, è dato ravvisare i contrassegni della rappresentazione moderna? Per rispondere compirò una sorta di piccolo esperimento: proverò a far reagire tra loro – per cosí dire "chimicamente" – tre distinti nuclei di riflessione, i quali, nonostante la loro notevole diversità, paiono evidenziare aspetti strettamente interdipendenti, o addirittura convergenti, della struttura come della funzione della "rappresentazione" nella *Neuzeit.* Ne risulterà – si spera – un design abbastanza omogeneo della *Darstellung*, costruito in base alle seguenti coordinate: la Rappresentazione moderna è (a) prospettica, (b) produttiva e (c) oggettivante.

4.1. *Il reale omologato*

Il primo aspetto è quello che abbiamo già visto delinearsi in Panofsky. Il Moderno inaugura la dimensione di uno spazio prospettico che rompe con lo spazio piano, qualitativamente differenziato, che caratterizzava la cultura classica. Inaugura, cioè, la "prospettiva" come *continuum* infinito, omogeneo, matematico, che riceve rappresentazione grazie alla convergenza in un punto. Si tratta di una convergenza ideale (come sa chiunque operi nel campo delle arti figurative), anche se realmente identificata nella tavola attraverso le linee di fuga dell'immagine. L'impiego della tecnica prospettica contiene, pertanto, un'implicazione concettuale decisiva: l'idea di un'integrazione della realtà oggettiva – di una vera e propria *costruzione* dell'oggettività – a partire da un criterio di selettività coordinato al punto-di-vista: "Chiunque vuole costruire qualcosa", afferma Dürer in termini che precorrono il soggettivismo metafisico successivo, "sceglie uno schema deliberatamente nuovo, che nessuno ha mai immaginato prima".

4.2. *La "costituzione prospettivistica dell'ente"*

Il secondo aspetto lo troviamo invece evidenziato in un testo di Heidegger del 1938, significativamente intitolato *Die Zeit des Weltbildes*, vale a dire: "Il tempo (l'epoca) dell'immagine del mondo". La funzione strategica del punto-di-vista trova qui la propria declinazione *stricto sensu* filosofica nell'idea del carattere tipicamente produttivo di una *rappresentazione soggettocentrica*. Il momento inaugurale della *Neu-zeit*, dell'"età nuova", coincide per Heidegger con la costituzione del *Weltbild* per antonomasia, che segnerebbe cosí una radicale cesura con l'*imago mundi* antica e medievale. La "conquista del mondo risolto in immagine" configura "il tratto fondamentale del mondo moderno". Ma l'altro polo della riduzione del Mondo a Immagine è una riduzione eguale e simmetrica: quella dell'Uomo a *subjectum*. Su questa duplice riduzione si fonda il nuovo dominio della *repræsentatio*, del porre-innanzi (*vor-stellen*) l'ente al Soggetto. Attraverso il porre-innanzi della Rappresentazione l'entità dell'ente è risolta in oggettività. E il termine tedesco *Gegen-stand*, nel suo senso letterale di ciò che è "anti-stante il soggetto", verrebbe pertanto a indicare tutta la misura della discontinuità con il pensiero classico di matrice aristotelica: per il quale ciò che noi moderni chiamiamo "soggetto" è qualcosa di inerente al sostrato oggettivo naturale, che si compie nella parabola teleologica di realizzazione

dalla δύναμις all'ἐνέργεια: ovvero, secondo la traslazione latina (che altera in realtà il significato dei due termini, trasferendolo in un diverso contesto di senso), dalla *potentia* all'*actus*.
Il *Bild*, l'*imago*, appare pertanto come cifra della risoluzione moderna delle prerogative ontologico-sostanziali nel cerchio del Cogito, che in tal modo assurge a Soggetto-centro della Rappresentazione: il termine *sub-jectum* costituisce, infatti, un perfetto calco latino del greco ὑπο-κείμενον, e non significa originariamente altro che "sostrato soggiacente". Tale riduzione – che affida il destino della ontoteologia a un puntello labile e precario come il Cogito – "getta una luce significativa anche sul corso fondamentale della storia moderna, a prima vista quasi assurdo". La traduzione della sostanza in soggetto, e dell'"io penso" in *nuda parametricità soggiacente*, viene cosí perfettamente a incastrarsi con la costituzione della rappresentazione prospettica centrata sul "punto di vista". La riconduzione del pensiero-*subjectum* a punto archimedico astratto trasferisce definitivamente, nell'"epoca dell'immagine del mondo", l'esperienza fuori degli individui in carne e ossa: fuori del libero gioco di energie e "potenze" vitali elevato al rango di "microcosmo" dalla grande indagine filosofico-naturale e magico-ermetica tra Medioevo e Rinascimento. "Soggetto" dell'esperienza diviene adesso una *ratio* fabbricatrice di astrazioni e di artefatti, di sistemi concettuali e di "macchine". L'*experimentum* diventa prerogativa esclusiva della misurazione e del calcolo, degli strumenti e dei numeri. Abbiamo qui una generalizzazione quasi iperbolica di alcuni motivi originari del Razionalismo occidentale (non dimentichiamo che, per Heidegger, nella storia della metafisica il *continuum* prevale pur sempre sulle rotture). Ma la loro peculiare combinazione nel Moderno è afferrabile solo alla luce di una specifica discontinuità rispetto alla disposizione topologica e gerarchica del Λόγος antico.
La Rappresentazione, la *Darstellung*, non è mera "visione", ma principio *produttivo*. Per questa stessa ragione – una ragione, si direbbe, collocata ancora piú in profondità della rottura cosmologica determinata dalla rivoluzione copernicana, e che di quest'ultima costituisce in

un certo qual modo il presupposto – la scienza moderna non ha nulla a che fare con l'ἐπιστήμη classica (che è conoscenza di immutabili, di ciò che *sta*, riposa su un inamovibile fondamento). Erede della distinzione agostiniana tra θεωρία (principio contemplativo del conoscere) e πίστις (principio pratico-attivo della fede), essa oppone all'antico ideale del θεωρεῖν, del *sapere-vedere* puramente teoretico, un modello di conoscenza fondato sull'astrazione produttiva e sulla rigorosa espunzione delle "qualità", che vengono pertanto confinate alla dimensione, pericolosamente limitrofa con l'"irrazionale", dell'esperienza vissuta.

L'essenzialità della *per-spectiva* alla storia della metafisica, intesa come progressivo manifestarsi dell'intreccio di "posizione di valori" (*Wertsetzung*) e "volontà di potenza" (*Wille zur Macht*), la troviamo ancora esplicitamente dichiarata nella grande opera del 1961 su *Nietzsche*, il cui primo strato di riflessioni risale all'incirca allo stesso arco di anni in cui venne composto il saggio sul *Weltbild*. L'angolazione prospettica viene assunta qui come modalità specifica di costruzione di un concetto di "realtà effettuale" (*Wirklichkeit*) funzionale al dominio sugli *entia*: l'ente in quanto tale sarebbe cosí "prospettivistico". Nell'affermare il "carattere prospettivistico dell'ente" Nietzsche non farebbe, per Heidegger, altro che portare alla luce il "tratto fondamentale" che, da Leibniz in poi, è latente nella metafisica. Vale a dire, quella "costituzione prospettivistica dell'ente" (*perspektivistische Verfassung des Seienden*) che trae origine dalla *perceptio* e dall'*appetitus*, dall'impulso a "rappresentare" (*vorstellen*) l'intera realtà a partire da un *point de vue*: quella stessa pulsione che sta, nietzscheanamente, alla base della creazione del Valore come condizione di "mantenimento e accrescimento della potenza".

In quanto costituiti dentro la prospettiva dell'utilità e della manipolabilità dell'ente, i valori dischiudono alla volontà di potenza una libertà di fruizione del "molteplice" impensabile nelle epoche precedenti: compresa quella che consentí a Machiavelli una valutazione specifica e radicale della sfera del potere (questo riferimento, significativo e per certi aspetti sorprendente, di Heidegger al Segretario fiorentino si trova in un para-

grafo del secondo tomo del *Nietzsche* intitolato *Die Herrschaft des Subjekts in der Neuzeit*). È in questa "nuova libertà" che si manifesta e dispiega l'essenza metafisica del Moderno inteso come *storia*: "La 'potenza' nel senso propriamente moderno del termine, ossia in quanto volontà di potenza diviene, metafisicamente possibile solo come storia moderna" (*"Macht" im recht verstandenen neuzeitlichen Sinne, d.h. als Wille zur Macht, wird metaphysisch erst als neuzeitliche Geschichte möglich*).
Di questa dimensione della storia (*Geschichte*) concepita come "invio" (*Geschick*), traiettoria "destinale" che conduce la metafisica al suo compimento (*Vollendung*) storicistico-umanistico, il programma nietzscheano della *Umwertung der Werte*, o "trasvalutazione dei valori", non rappresenta per Heidegger altro che l'interfaccia: poiché – come si legge nello *Humanismusbrief* – "il rovesciamento di una tesi metafisica rimane una tesi metafisica". Mentre il razionalismo cartesiano finisce per svolgervi il ruolo cruciale di "trasformatore" del piano *onto-teologico* in piano *antropologico*. Facendo dell'Io, dell'Egoità (*Ichheit*) o Ipseità il solo autentico *subjectum*, Descartes impone (o meglio, a voler seguire rigorosamente il dettato heideggeriano: attraverso Descartes s'impone) come decisiva l'esistenza di una "relazione dell'uomo all'ente nella sua totalità". La tradizionale domanda metafisica "Che cos'è l'ente?" viene sostituita dalla questione del "metodo" – ossia, letteralmente, del *cammino* — capace di far pervenire l'uomo alla "certezza", al *fundamentum absolutum inconcussum veritatis*: "Questo mutamento", sentenzia Heidegger, "*è* il principio di un nuovo pensiero, attraverso cui si ha una nuova epoca e l'età seguente [*Folgezeit*] diventa l'età nuova [*Neuzeit*], cioè l'età moderna" (Martin Heidegger, *Nietzsche*, II, 142).
Analoghe considerazioni, ma espresse in forma ancora piú circostanziata, troviamo nello scritto del 1956 *Was ist das – die Philosophie?*: "Nelle sue *Meditazioni* Descartes non pone soltanto e innanzitutto la domanda τί τὸ ὄν – che cos'è l'ente in quanto esso è? Descartes chiede: qual è quell'ente che, nel senso dell'*ens certum*, è veramente tale?". Questo mutamento della domanda chiama in causa un mutamento essenziale della *certitudo*:

essa non significa piú, come nella onto-teologia medievale, *essentia*: "stabile delimitazione di un ente in ciò che esso è". La *certitudo* diviene piuttosto "quella fissazione [*Festmachung*] dell'*ens qua ens* che si ha sul fondamento dell'indubitabilità del *cogito* (*ergo*) *sum* per l'*ego* dell'uomo. In virtú di ciò l'*ego* diviene il *subjectum* per eccellenza, ed è cosí che l'essenza dell'uomo entra per la prima volta nel dominio della soggettività nel senso dell'egoità [*Egoität*]" (Martin Heidegger, *Was ist das – die Philosophie?*, 41)

Nel cammino che si snoda da Descartes a Nietzsche, passando per Kant, Hegel e Schopenhauer, si compie dunque, secondo Heidegger, quella graduale traduzione della *ontoteologia* in *antropologia* che riposa sul fondamento nihilistico della volontà di potenza e sulla persistenza della rappresentazione produttiva. Ma siamo proprio certi che una tale rappresentazione, nei tratti metafisici sopra delineati, "persista"? Ancora una volta, ci troviamo al cospetto di una domanda cruciale. Le sue implicazioni investono, infatti, il nucleo centrale della riflessione heideggeriana negli anni della *Kehre*: la celebre "svolta", che riceve il proprio contrassegno dalla problematica della "differenza ontologica". E, come si vedrà, l'indicatore delle aporie inerenti a questa problematica è costituito dal rigetto, da parte di Heidegger, della categoria di secolarizzazione. Ma, prima di giungere a questo punto nodale, occorrerà adesso prendere rapidamente in esame un ultimo aspetto della "rappresentazione". Aspetto che ne legittima pienamente la relativizzazione storico-concettuale e la crisi.

4.3. *Repræsentatio sive absentia*

L'aspetto cui si allude è stato tratteggiato da Michel Foucault in quel grande, ma non sempre coerente, "digesto" della modernità che è costituito da *Les mots et les choses*. La rilevanza strategica del riferimento a quest'opera nella trama che viene dipanandosi dal nostro "gomitolo narrativo" sta nel fatto che in essa si tende a evidenziare, quale carattere peculiare del Moderno, l'originale svolgimento di un problema che si trovava già, in un certo senso, impostato dall'"episteme dell'età classica". Ma qui occorre subito avvertire che, con l'espressione *âge classique*, Foucault non intende affatto designare l'epoca comunemente intesa come classica, ossia quella antica, bensí l'epoca proto-moderna, precedente alla comparsa dell'umanismo illuministico e dello storicismo. Il tratto caratterizzante di quest'epoca viene individuato nel dominio della Rappresentazione. Com'è noto, Foucault introduce questo aspetto attraverso la diagnosi di *Las Meninas* di Velázquez: un'analisi che – Foucault incolpevole – ha dato luogo negli anni successivi a una vera e propria irruzione della moda iconologica presso numerosi storici francesi e italiani. In cosa consiste il valore emblematico di quel celebre dipinto? I termini della risposta sono semplici e decisivi. Esso sta nel fatto di *rappresentare lo stesso atto della rappresentazione*: "pittore, tavolozza, grande superficie scura della tela rovesciata, quadri appesi al muro, spettatori che guardano; da ultimo nel centro, nel cuore della rappresentazione, vicinissimo a ciò che è essenziale, lo specchio, il quale mostra ciò che è rappresentato, ma come un riflesso cosí lontano, cosí immerso in uno spazio irreale, cosí estraneo a tutti gli sguardi volti altrove, da non essere che la duplicazione piú gracile della rappresentazione". Tutte le linee del quadro convergono verso un punto assente: vale a dire, verso ciò che è, a un tempo, oggetto e soggetto della rappresentazione. Ma questa *assenza* non è propriamente una "mancanza": è piuttosto quella figura che *nessuna* "teoria della rappresentazione" è in grado di contemplare come suo momento interno. La caratteristica della rappresentazione alle origini del Moderno sta dunque nel fatto che il soggetto della rappresentazione, il produttivo "fuoco" che la sorregge, tenendone miracolosamente sospese – in "attesa", si sarebbe portati a dire – le coordinate, si colloca al di fuori della rappresentazione stessa.

L'*absentia* segnala dunque, in Foucault, le invalicabili colonne d'Ercole di ogni *repræsentatio*. Nessuna teoria della rappresentazione è, in quanto tale, in grado di includere nel suo circolo il Soggetto-sostegno della rappresentazione. L'osservatore per cui la rappresentazione è allestita non può osservare propriamente se stesso, ma solo il suo simulacro o – come appunto in *Las Meninas* – la sua immagine riflessa nello specchio. Ma ciò implica un discrimine implacabile tra la strategia "oggettivante" ed "esclusiva" dell'*âge classique* e la strategia *inclusiva* della modernità pienamente dispiegata: giacché a essa sola compete, in senso autentico, la prerogativa "soggettivante" della storicità. L'immagine della cesura marca qui una differenza sostanziale dall'idea heideggeriana di un destino che gradualmente si compie sul fondamento omogeneo del nihilismo prospettico e produttivo. All'interrogativo posto da Heidegger nel *Nietzsche*: "Come assurge l'uomo al ruolo di autentico e unico Soggetto?", Foucault sembra idealmente rispondere: il passaggio al Moderno – o, per dirla con Hans Blumenberg, alla "legittimità del Moderno" (*Legitimität der Neuzeit*) – non si snoda pacificamente dal "decisivo cominciamento" (*entscheidender Beginn*) cartesiano; esso non è dunque propriamente un passaggio, ma una svolta e una cesura che implica al suo interno aspri conflitti e amputazioni dolorose.

L'"archeologia" foucaultiana – quali che siano le sue manchevolezze, rilevabili in sede storiografica – nasce dunque in ogni caso dall'esigenza di enucleare tutta una serie di tratti *differenziali* della modernità che problematizzano in modo sostanziale il rigido canone heideggeriano, evidenziando lo statuto "polemologico" soggiacente ai diversi codici e *ordini del discorso*. Che una tale problematizzazione – la cui necessità viene oggi avvertita da piú parti – non abbia un valore meramente storico-ermeneutico, bensí un significato *stricto sensu* filosofico, è dimostrato da un'altra circostanza decisiva, che si evince attivando una sorta di meta-interpretazione (e non già un'applicazione meccanica, come accade a troppi glossatori europei e americani) dell'analitica foucaultiana del sapere-potere. Per Foucault la rappresentazione classica non è affatto "forte" ma, al contrario, "debolissima". E ciò – si badi – non malgrado, ma *a causa* della sua rigidità oggettivistica. Proprio in quanto prigioniero dell'angolo visuale, del punto-di-vista, il regime discorsivo della *repræsentatio* risulta incapace di contemplare epistemicamente e di includere operativamente nel suo orizzonte la sfera dell'agire: della concreta prassi umana che "si fa" nel tempo. Non a caso l'ultimo Foucault ha avvertito il bisogno di riflettere segnatamente su questo problema, riprendendo l'interrogativo kantiano *Was ist Aufklärung?*, "Che cos'è l'Illuminismo?", e iscrivendo l'intera sua riflessione in quella forma del filosofare che, "da Hegel alla Scuola di Francoforte, attraverso Nietzsche e Max Weber", riconosce il proprio nucleo centrale in una *ontologia dell'attualità*: "Kant", affermava nella sua ultima lezione al Collège de France, "mi sembra collocarsi all'origine delle due grandi tradizioni critiche in cui si è divisa la filosofia moderna. Con la sua opera critica egli ha fondato quella tradizione che muove dalla domanda di quali siano le condizioni che consentono una vera conoscenza. A partire di qui, lo possiamo ben dire, si è sviluppato un intero campo della filosofia moderna: quel campo che definirei analitica della verità. Ma nella filosofia moderna e contemporanea esiste anche un altro genere di domanda, un altro tipo di interrogazione critica; ed è precisamente questo tipo che vediamo nascere nell'interrogativo sull'Illuminismo e nel testo sulla rivoluzione. Quest'altra tradizione critica pone la domanda: che cos'è la nostra attualità? Qual è il campo attuale delle possibili esperienze? Qui non si tratta di una analitica della verità, bensí di una sorta di ontologia del presente, di una ontologia di noi stessi. E a me pare che nella nostra epoca ci si trovi di fronte proprio alla seguente scelta: o si opta per una filosofia critica che si presenti come filosofia analitica della verità in generale, oppure per una ontologia di noi stessi, una ontologia dell'attualità".

Vedremo piú avanti i risvolti aporetici di questa tesi, avvalendoci di un impiego critico della categoria di secolarizzazione. Quel che adesso importa segnalare è la fecondità del ricorso foucaultiano a *distinzioni forti*, capaci di anatomizzare il corpo della rappresentazione produttiva, portandone alla luce un *nervo scoperto* che resta inesorabilmente occultato nelle generalizzazioni heideggeriane. Il limite di queste ultime, che cosí viene a emergere, si delinea nel suo duplice risvolto: storico e concettuale.

Introdurrò i due aspetti richiamandomi alle domande e obiezioni che vengono abitualmente sollevate a proposito del modo in cui Heidegger inquadra il razionalismo moderno nella vicenda del "nihilismo europeo". Alcuni degli interrogativi hanno un carattere prettamente storiografico: "Perché si privilegia proprio Descartes e non Spinoza come passaggio decisivo della metafisica moderna?". Altri sono di natura piú spiccatamente teoretica: "Perché mai lo schema heideggeriano è cosí ossessivamente centrato sul Cogito e sul suo valore di spartiacque? Perché non ha invece approfondito le nozioni di 'sostanza' e di 'potenza'?".
Rilievi quanto mai congrui. È difficile, infatti, negare l'estrema forzatura presente nelle periodizzazioni (o meglio ancora: "epocalizzazioni") di Heidegger: un autore – come ha osservato piú volte Eugenio Garin – tutt'altro che dolce e sfumato in fatto di genealogie. Occorre tuttavia fare molta attenzione a non confondere i due piani dell'interesse storiografico e di quello teoretico. Piani entrambi dotati di un proprio autonomo ambito di legittimità. Tanto nella conferenza del 1938 sull'"immagine del mondo", poi raccolta in *Holzwege*, quanto nella seconda parte del *Nietzsche*, Heidegger perseguiva un obiettivo difficilmente valutabile con i criteri e gli strumenti di una "storia della filosofia" correntemente intesa. Ciò che gli premeva era soprattutto stabilire il grado di persistenza e di metamorfosi della "volontà di potenza" latente nel passaggio dalla scolastica medievale alla metafisica moderna. E se l'aspetto dirompente stava per lui nell'affacciarsi di un'attitudine "soggettivistica" e "produttiva" del nuovo pensiero razionalistico, di contro a quella "oggettivistica" e "contemplativa" del pensiero classico, non meno rilevante era tuttavia l'aspetto della continuità: non dimentichiamo – è quasi superfluo ribadirlo – che si tratta pur sempre di una discontinuità interna all'essenza metafisica di quella onto-teologica occidentale che viene edificando il suo cammino metodico sull'assolutizzazione dell'*ente* e sulla dimenticanza dell'*essere*. Il ruolo di "trasformatore" della nomenclatura onto-teologica nella piramide prospettica antropologica svolto dal Cogito viene a significare, in questo qua-

dro, la svolta decisiva verso l'inveramento essenziale di quella figura archetipica della metafisica che Heidegger chiama "soggettità": figura che affonda le sue radici nell'ἰδέα platonica, ma che è destinata a trovare la pienezza della sua "manifestazione" nel *Gestell*, nell'Impianto tecnico di dominio dell'ente.

Sullo sfondo di tali premesse, una critica adeguata del concetto heideggeriano di "rappresentazione" dovrebbe dunque percorrere due passaggi obbligati: a) provare l'inadeguatezza *teoretica* (e non solo storiografica) della lettura che Heidegger propone del Cogito cartesiano; b) fronteggiare *filosoficamente* (e non con obiezioni o battute disinvoltamente mutuate dal *common sense*) la tesi paradossale che soggiace all'immagine del *continuum* storico nihilistico, o meglio del "nihilismo in quanto storia" (*Nihilismus als Geschichte*), inteso come persistenza "in cammino", Origine misteriosamente "in viaggio". Due ordini di *Auseinandersetzung* estremamente ardui, che richiederebbero da soli un lavoro *ad hoc* e che, pertanto, possono essere qui appena sfiorati.

Il Cogito, per quanto risolto nell'atto dell'"io penso", resta comunque un *sub-jectum*, un Assoggettato, un Soggiacente: mera trasposizione di ὑποκείμενον. *Cogito* (*ergo*) *sum*. Tutto ciò implica non tanto, come postula Heidegger, un'antropologia *in nuce*, imperniata su una riconduzione del "sostrato" alla *Ichheit*, quanto piuttosto una opposta e simmetrica operazione di "filtraggio": una *depurazione* del Cogito da tutte le virtualità (le "potenze") innervate nel suo tessuto psicologico e "soggettivo" (stavolta nel senso in cui noi oggi lo intendiamo: nel senso moderno o, come io preferisco, *ipermoderno* del termine). Come potrebbe altrimenti il Cogito ricevere, per il puro tramite logico dell'*ergo*, l'affezione ontologica del *sum*?

Operazione complessa, delicata – ho detto. Dovrei adesso per completezza aggiungere: travagliata, rischiosa. Ma sta proprio qui il nodo del problema che Heidegger si rifiuta di vedere, il nervo scoperto della questione del Cogito che egli non ha fino in fondo il coraggio di toccare. Vi è una fondamentale passione, un basilare "patire", che inerisce all'"io penso": essa è radicata nella circostanza – elementare ma decisiva circostanza – che quel solo "punto fisso e immobile" deve archimedicamente sostenere l'intero peso del globo terrestre. Non è forse Descartes in persona a suggerirci ciò quando, alla fine della Prima Meditazione, definisce il suo disegno "penoso e laborioso"? O quando, al principio della Seconda, introduce il tema del dubbio e dell'incertezza – della realtà come menzogna – prospettando il Cogito come una minuscola isola emersa da un oceano tempestoso, sotto la minaccia costante di essere inghiottita da "un'acqua profondissima"? Io suppongo – dice Cartesio – che tutte le cose che vedo siano false, che ogni mia rappresentazione sia intrisa di menzogne, che corpo, figura, estensione, movimento, luogo non siano che finzioni ("chimeræ"), che io stesso non abbia senso alcuno: che cosa, dunque, potrà mai esser reputato vero? Ed ecco emergere l'isoletta: la proposizione "Io penso, dunque sono", come unico appiglio nel mare dell'universale precarietà di ogni conoscenza ed esperienza.

Il *point de vue* del razionalismo moderno, principio produttivo della rappresentazione scientifica e "oggettivante", nasce pertanto con un profilo ancipite. Non ha soltanto – come sembra ipotizzare Heidegger – l'attitudine prometeica a quel dominio tecnico del mondo che riduce l'essere alla molteplicità disponibile e manipolabile degli "enti", e che è destinato a raggrumarsi nell'onnipotenza del *Ge-Stell*, dell'Impianto, dell'Apparato, dell'Imposizione quale vincolo tecnologico. Esso reca in sé anche l'aspetto della *vertigine*, che gli deriva dal fatto di essersi costituito a partire da un'operazione distruttiva che ha fatto letteralmente *tabula rasa*, spazzando via dal tappeto qualsivoglia fondamento radicato nell'esperienza sensibile: se l'assunto *razionale* di Descartes è "Io penso, dunque sono", il suo assunto *passionale* è "I sensi ingannano".

Il Progetto moderno nasce bifronte come il volto di Giano. Contiene in sé, inestricabilmente congiunte, le due facce del prometeismo "logico" e della vertigine "patica", della "volontà di potenza" e del "timore e tremore" di essere risucchiato nelle tenebre dell'universale incertezza da cui proviene.

Vengono alla mente gli splendidi versi di John Donne in *An Anatomie of the World* (1611):

And new Philosophy cals all in doubt,
The Element of fire is quite put out;
The Sunne is lost, and th'earth, and no mans wit
Can well direct him, where to looke for it.
And freely men confesse, that this world's spent,
When in the Planets, and the Firmament
They seeke so many new; they see that this
Is crumbled out againe to his Atomis.
'Tis all in pieces, all cohaerence gone;
All just supply, and all Relation:
Prince, Subject, Father, Sonne, are things forgot,
For every man alone thinkes he hath got
To be a Phoenix, and that then can bee
None of that kind, of wich he is, but hee. [...]
And learnst thus much by our Anatomy,
That this worlds generali sickenesse doth not lie
In any humour, or one certaine part;
But, as thou sawest it rotten at the hart,
Thou seest a Hectique fever hath got hold
Of the whole substance, not to be contrould,
And that thou hast but one way, not t'admit
The worlds infection, to be none of it.*

È sullo sfondo del *wit* metafisico con le sue "anatomie" (all'*Anatomie of the World* fa riscontro, nello stesso periodo, l'*Anatomy of Melancholy* di Robert Burton) che la ragione abbandona la scepsi per costruire – con il ricorso al puro gioco dell'ingegno – le proprie isole

* E la nuova filosofia mette tutto in dubbio, / l'elemento del fuoco è affatto estinto; / il sole è perduto, e la terra; e nessun ingegno umano / può indicare all'uomo dove andarlo a cercare. / E liberamente gli uomini confessano che questo mondo è finito, / dato che nei pianeti e nel firmamento / ne cercano tanti di nuovi; essi vedono che questo / si è di nuovo frantumato nei suoi atomi. / È tutto in pezzi, scomparsa è ogni coesione, / ogni equa distribuzione, ogni rapporto: / sovrano, suddito, padre, figlio, son cose dimenticate, / dacché ciascun uomo per proprio conto crede di essere / divenuto Fenice, e che allora non possa esserci / alcun altro di quel genere, cui egli appartiene, al di fuori di lui. / [...] E questo apprendi dalla nostra Anatomia: / che l'infermità generale di questo mondo non risiede / in un certo umore o in una qualche parte; / ma dacché l'hai veduto marcio nel cuore, / vedi ora che una febbre consuntiva ha fatto presa / in tutta la sostanza, e non la si può curare, / e che tu non hai che un sol mezzo per non contagiarti / all'infezione del mondo: quello di non far parte del mondo.

artificiali e i propri fortilizi. È in questa temperie – il cui "tratto dominante" è costituito, come ha notato Roman Schnur, dall'"instabilità" – che ha inizio l'avventura del razionalismo moderno.

Veniamo cosí al problema Spinoza. Il "benedetto" sefardita non dovrebbe suggerirci proprio l'esatto contrario di quanto andiamo sostenendo? Non è forse Spinoza il filosofo della Sostanza e della Potenza, il filosofo che può permettersi di riallacciarsi – per un aspetto decisivo – al senso machiavelliano della Vita? E in tal caso, non dovremmo a rigore concluderne che non esiste unità ma insopprimibile molteplicità – una sorta di pluralismo originario delle "ragioni" – nel Progetto moderno? Questa è la conclusione affrettata alla quale si rischia di essere indotti se non attiviamo rispetto a certi autori un'adeguata attenzione teoretica. In realtà il punto di partenza "patico" di Spinoza è esattamente lo stesso di quello di Descartes: l'*inganno dei sensi*. Sta qui il vero spartiacque nei confronti della metafisica classica di derivazione aristotelica, che prevedeva una differenziazione e un'ascesa per gradi dalla conoscenza sensibile a quella intellettiva (in conformità al principio *nihil est in intellectu quod prius non fuerit in sensu*). Anche per Spinoza, se vogliamo raggiungere un saldo criterio dell'evidenza (che certo, diversamente da Descartes, non risiede in un metodo del conoscere preliminare al conoscere in atto), dobbiamo dimenticare i sensi, questa maledetta fonte di pregiudizio. Sia Cartesio sia Spinoza sono, sotto questo profilo, filosofi che hanno varcato la soglia cosmologica che fa da spartiacque tra antico e moderno o, per usare le famose espressioni di Koyré, tra "mondo chiuso" e "universo infinito": sono entrambi pensatori post-copernicani, comprensibili solo alla luce di un sistema che aveva radicalmente revocato in dubbio la falsa evidenza sensoriale su cui si fondava l'ipotesi geocentrica. Solo una volta abbandonati i sensi troveremo quel *fundamentum absolutum inconcussum veritatis* che nessuna autorità o dogma è piú in grado di garantirci. Tale fondamento ha sede nella dimensione puramente razionale del pensiero, quella matematico-geometrica: l'unica in grado di produrre irrefutabili "evidenze", percezioni *claræ et distinctæ.* Tutto il sistema spinoziano, e segnatamente l'etica, è infatti costruito *more geometrico*, sul modello euclideo. E non a caso la produttività di cui Spinoza ci parla non ha affatto uno statuto teleologico, bensí rigorosamente causale. Dio, la sostanza, è potenza e produttività infinita. Ma la sua "attività" non è una libera creazione. È, al contrario, una causalità necessaria e immanente a tutto. E tutto proviene dalla Sostanza con la medesima cogenza con cui, in un teorema geometrico, le conclusioni discendono dalle premesse. Al di là delle questioni teoretiche e storico-ermeneutiche che investono la svolta soggettivistica della metafisica moderna, resta tuttavia aperto quel confronto con la concezione heideggeriana del "nihilismo *come* storia", di cui possiamo qui profilare appena le direttrici portanti. La vicenda del nihilismo (termine che – giova forse ripeterlo – non adombra affatto un atteggiamento scettico o pessimistico, ma tende piuttosto a coincidere con il "costruttivismo" di una volontà di potenza sempre piú impregnata di storicità) viene racchiusa da Heidegger sotto il sigillo del *Vollbringen*, del "portare a compimento". Ma poiché portare-a-compimento significa – come si legge nella *Lettera sull'umanismo* – "dispiegare qualcosa nella pienezza della sua essenza, condurre-fuori a questa pienezza, *producere*", ne consegue che "può essere portato a compimento in senso proprio solo ciò che già è". Il paradosso della storia del nihilismo coincide dunque con quello di un cammino che si trova, in ogni suo momento, già da sempre inscritto e radicato nell'Origine. Ma, al tempo stesso, coincide anche con il paradosso di un'Origine che, proprio *in quel* cammino e *in quanto* cammino, è destinata a compiersi. Origine (*Ursprung*) e spaesatezza (*Heimatlosigkeit*) si richiamano dunque vicendevolmente. Nessuno dei due poli può essere soppresso senza sopprimere l'altro. È lo stesso paradosso che ritroviamo nell'interrogazione heideggeriana sulla "filosofia", del tutto omologa a quella che investe le altre due parole-chiave del destino europeo: "metafisica" e "nihilismo". Piú esattamente, esso si trova sigillato come in uno scrigno in un particolare modo dell'interrogare: *Was ist das – die Philosophie?*, "Che cos'è ciò – la filosofia?". Forma di interrogazione costante –

che ostinatamente persiste, che ossessivamente si ripete. E tuttavia, misteriosamente, *in cammino*: la "parola 'filosofia' parla greco" e la parola greca, "in quanto *greca*, è un cammino". Questo cammino, lo stesso della metafisica e del nihilismo, ci sta per un verso di fronte, ma per l'altro si trova già alle nostre spalle. *Ci sta di fronte*: poiché la parola da lungo tempo ci precede, guidandoci lungo una traiettoria che, nella Modernità, si sostanzia di "storia". *Si trova già alle nostre spalle*: poiché quella parola è stata già da sempre pronunciata. In questo enigmatico incrocio viene disegnandosi la forma del paradosso; l'essenza del cammino è data dal persistere della domanda. Ma è proprio in virtú di questo paradosso, per cui l'essenza del futuro è data dalla sua permanenza nell'orbita di attrazione dell'Origine, che la filosofia determina "l'intimo fondamento della nostra storia europea occidentale".

Muovendo da queste premesse, si comprende bene il motivo per cui Heidegger rigetta nel *Nietzsche* la categoria di "secolarizzazione" come uno pseudoconcetto illusorio (*gedankenlose Irreführung*), allo stesso modo in cui nel *Brief über den Humanismus* aveva respinto l'idea di un progresso in filosofia: "Se fa attenzione alla sua essenza, la filosofia non progredisce affatto. Essa segna il passo sul posto, per pensare sempre la stessa cosa. Progredire, cioè andare oltre questo posto, è un errore che segue il pensiero come l'ombra che esso proietta". E, analogamente, egli aveva operato un netto distacco dell'idea di storia dall'immagine del *trascorrere*: "La storia non accade innanzitutto come accadere [*Geschehen*], e l'accadere non è un trascorrere [*Vergehen*]. L'accadere della storia dispiega la sua essenza [*west*] come destino della verità dell'essere a partire da questo" (Martin Heidegger, *Brief über den "Humanismus"*, in *Wegmarken* [*Gesamtausgabe*, IX], 332).

Altrettanto bene si comprende però, a questo punto, la ragione del dissidio in seno all'"heideggerismo" di questi anni. Esso nasce dal fatto di puntare, sempre o di volta in volta, solo su uno dei due lati del paradosso: ora enfatizzando l'aspetto dell'appartenenza all'essere della *Seinsvergessenheit* e della sua inarrestabile deriva, convogliandolo verso esisti di tipo "neostoricistico"; ora

insistendo ossessivamente sul tema dell'Origine, facendolo slittare all'indietro – con un movimento, per cosí dire, " a gambero" – verso l'"originario".
L'aspetto piú inquietante di Heidegger non sta affatto nella sua compromissione politico-ideologica o nell'"incidente" apologetico (tutt'altro che accidentale, a onor del vero) della *Rektoratsrede* del maggio 1933. E neppure nell'effimero uso (su cui si è di recente soffermato Derrida) dell'espressione *Geist* e dei suoi derivati: espressione poi disinvoltamente congedata negli scritti del dopoguerra. Esso sta piuttosto – come aveva intravisto, entro un'orbita di discorso diversa dalla nostra, Karl Löwith – nella componente meno caduca del suo pensiero filosofico. In virtú del tenersi reciproco di Origine e Storia, Essere e Tempo, Patria e Spaesatezza, tutti i momenti della traiettoria essenziale dell'essere finiscono per ricevere la luce della Verità: è vera la "metafisica assoluta" di Hegel, ma sono veri anche gli altrettanto assoluti "rovesciamenti che ne hanno fatto Marx e Nietzsche". E ciò per la decisiva ma paradossale ragione che nulla può esservi di errato nella verità dell'Erranza: anche nell'oblio e nell'errore, ciò che continua a darsi, ed eternamente si dà, è comunque l'Essere.

Senonché i lati del paradosso si stringono come i morsi di una tenaglia ogni qualvolta si profili all'orizzonte l'idea dell'effrazione e dell'oltrepassamento della circolarità destinale. Sintomatica, da questo punto di vista, l'appropriazione e "metabolizzazione" operata da Heidegger nei confronti della riflessione nietzscheana. Nietzsche non è solo colui che ha individuato nella forma del "costruire" metafisico la costante del "nihilismo europeo", ma anche colui che ne ha diagnosticato la crisi e annunciato il superamento ponendo l'esigenza di una radicale "trasvalutazione di tutti i valori" (*Umwertung aller Werte*). Questi tratti conferiscono alla sua opera un'impronta davvero decisiva, dirimente. E tuttavia essa rimane inestricabilmente confitta nella vicenda della metafisica e del nihilismo. Quello che Nietzsche chiama "oltrepassamento" (*Überwindung*), per Heidegger altro non è che un "compimento" (*Vollendung*). E ciò per la semplice ma fondamentale ragione che *il nihilismo è inoltrepassabile.* Con identico schema, la morsa della tenaglia si stringe puntualmente anche sulla proposta jüngeriana di andare *über die Linie*, oltrepassando il "meridiano zero" del nihilismo: "Il tentativo di attraversare la linea", obietta Heidegger a Ernst Jünger, "resta in balia di un rappresentare che appartiene all'ambito in cui domina la dimenticanza dell'essere". Ogni tentativo di oltrepassamento della metafisica è per sua natura destinato a replicarne i caratteri, ridisegnando la traiettoria di quel paradossale cammino che si trova stranamente ricacciato in circolo. Da sempre inclusa nel nihilismo è, sotto questo profilo, ogni idea di redenzione: non solo in quanto si esprime con "i concetti fondamentali della metafisica (forma, valore, trascendenza)", ma in quanto implica un'eccedenza energetica, dunque una *potenza*, tale da produrre una fuoriuscita dal tempo storico.

La formula-chiave adottata al riguardo da Heidegger è che "il rovesciamento di una tesi metafisica rimane una tesi metafisica". Non si vede però perché mai una tale formula, nel suo carattere di *passe-partout*, non possa essere applicata anche al suo stesso pensiero della differenza ontologica, bollando cosí la "questione dell'essere" come mero "rovescio del guanto" della nomenclatura ontica. Una tale mossa vale, naturalmente, per quel che è: pura e semplice ritorsione. Essa appare tuttavia pienamente autorizzata dalla necessità di fronteggiare il dispositivo a tenaglia heideggeriano, facendo innanzitutto valere nei suoi confronti un contro-argomento decisivo: investire sempre e comunque l'errore della luce destinale della verità è un modo di *neutralizzarlo*, ribaltando cosí la questione della verità stessa in quella della legittimazione, in ultima analisi dispotica, di ogni "accadere".

Alla logica di questo accadere si deve adesso far ritorno, avendo ormai sullo sfondo il diagramma sopra schizzato della "prospettiva/aspettativa" e della "rappresentazione". Relativamente a quest'ultima, si è visto come le tre accezioni sopra illustrate di Panofsky, Heidegger e Foucault in parte si integrino e attraversino, in parte divergano. Mi sono soffermato in modo particolare sulle divergenze tra gli ultimi due proprio per la rilevanza delle implicazioni filosofiche dei loro discorsi. Rispetto a essi, Panofsky sembra tuttavia porre una domanda fondamentale: come si collocano – quale *Stellenwert* o "valore posizionale" assumono – nel contesto teorico sopra delineato le metamorfosi di una "prospettiva" che dalla concezione discontinua, antitetica, finita dell'oggettivismo antico – delle figure collocate su un piano orizzontale – si ribalta in quella visione omogenea, matematica, infinita, dello spazio che perdura fino ai primi anni del nostro secolo: fino a quelle *Demoiselles d'Avignon* di Picasso (1907) che apriranno la strada a un nuovo "sentimento spaziale", allorché la teoria della relatività, contemporanea nella sua prima formulazione (1905), inaugurerà una nuova visione scientifica dello spazio-tempo?

5. La vertigine dell'autoreferenza

Il tracciato analitico foucaultiano sembra indirettamente replicare all'interrogativo con cui abbiamo concluso il precedente capitolo, proponendo una scansione per tappe del Progetto moderno che – sottoponendo a tensione il rigido schema di Heidegger – sfocia dapprima in una relativizzazione storico-concettuale e poi in un superamento dell'idea stessa di rappresentazione. La prima di queste tappe l'abbiamo già considerata: nel pensiero dell'*âge classique*, colui per il quale la rappresentazione esiste, e che in essa si riconosce come immagine e riflesso, colui che annoda tutti i fili intrecciati della "rappresentazione tabulare", non vi si trova mai presente. Questa economia della Rappresentazione procede inalterata sino alla piena costituzione – nella temperie della Rivoluzione francese – del concetto di temporalità storica progressiva. È in questa temperie, e solo a partire da essa, che si delinea l'idea, prettamente moderna, di una soggettività umana che si realizza dentro la dimensione del Progetto storico, ossia all'interno di una "prospettiva" temporalmente intesa: "Prima della fine del XVIII secolo, l'uomo non esisteva, come non esistevano la potenza della vita, la fecondità del lavoro, o lo spessore storico del linguaggio. È una creatura recentissima quella che la demiurgia del sapere fabbricò con le sue mani, meno di duecento anni or sono". La discriminante cosí enucleata apre la strada alla definizione del Moderno: esso è quella forma di civiltà e di sapere, intrisa di "storicità profonda", in cui il soggetto-oggetto della Rappresentazione diviene componente interna di un nuovo ordine del discorso. Si tratta di un passaggio decisivo. La "soglia della nostra modernità" non si situa nel momento in cui vengono applicati i metodi oggettivi della scienza alla natura, e neppure nel momento in cui essi vengono applicati allo studio dell'uomo, bensí nel momento in cui, con l'analitica kantiana della finitudine, si comincia a costituire l'uomo come "strano allotropo empirico-trascendentale": come fattore collocato in quella casella mobile che Foucault denomina "posto del re", ma che non può piú coincidere con uno stabile luogo sovrano che detiene le fila della "metafisica del discorso". L'apertura di questa nuova prospettiva non poteva tuttavia non comportare, come conseguenza ineluttabile, uno spiazzamento e una relativizzazione della problematica kantiana del "finito" e dei "limiti" e, simmetricamente, della stessa problematica cartesiana del Cogito.

Il Cogito moderno, osserva Foucault, "è tanto diverso da quello di Cartesio quanto la nostra riflessione trascendentale è lontana dall'analitica kantiana". A partire dal momento in cui il soggetto è stato inglobato nel quadro della rappresentazione, quest'ultima s'incrina gradualmente fino a esplodere. Il cerchio del Cogito cessa di essere *fundamentum inconcussum*, e non è piú assumibile fuori del riferimento all'"impensato". Lungi dal persistere come Centro, come produttivo "punto di vista", l'identità dell'"io penso" si pone anche come luogo del "disconoscimento": di quel disconoscimento che espone sempre il "pensiero" a essere sopravanzato dal suo "essere" e che gli consente, al contempo, di "recuperare se stesso a partire da ciò che gli sfugge". Per questa stessa ragione, la prospettiva moderna non trova piú il punto della propria necessità, come in

Kant, nell'esistenza di una scienza "esatta" della natura, ma nell'esistenza muta di quel non-conosciuto sotto la spinta del quale l'uomo viene proiettato senza pausa a colmare il divario e il limite per realizzare una, sempre indefinita e imperfetta, conoscenza di sé. Alla domanda del Kant gnoseocritico: come può accadere che l'esperienza della natura dia luogo a giudizi necessari?, si sostituisce una nuova domanda: come può accadere che l'uomo pensi ciò che non pensa, abiti ciò che gli sfugge, animi, come una sorta di "moto rappreso", quella immagine di sé che coglie nella forma di un'esteriorità testarda? E infine: come può accadere che l'uomo si identifichi con quel costruire e produrre le cui leggi gli si impongono nella forma di un rigore estraneo, di una "potenza esterna"?

Varcata la soglia della Rappresentazione, il Moderno viene scoprendo il carattere di "deriva" della sua attitudine prospettica: ed è un indubbio merito di Foucault l'aver saputo declinare, con tanta lucida passione, gli interrogativi che a questo punto si affacciano (e che, di fatto, erano stati già posti da altri ermeneuti "viscerali" della condizione moderna: Hegel e Marx, Nietzsche e Freud, Artaud e Bataille). Quali sono, però, gli effetti specifici che la *crisi della rappresentazione soggettocentrica* – con il connesso fenomeno di "perdita del centro" e di erosione del Fondamento, su cui si è particolarmente concentrata la riflessione francese, angloamericana e italiana di questi anni: dal "decostruzionismo" di Derrida all'ermeneutica neopragmatista di Rorty, al "pensiero debole" di Gianni Vattimo – induce nei destini della coppia prospettiva/aspettativa?

Tentare una risposta a questo interrogativo sembra necessario anche per venire a capo di quella *ossessione del tempo* che parte idealmente dai passi sopra evocati delle *Confessioni* agostiniane e – dopo aver attraversato le alterne e conflittuali vicende di ermetismo e gnosticismo, cabalismo e rivoluzione scientifica, neoplatonismo e razionalismo, evoluzionismo e filosofia della vita, misticismo e fisica moderna – finisce per dilagare nel nostro secolo: da Minkowski a Einstein, da Dilthey a Heidegger, da Bergson a Proust, dai *patterns* strutturalisti a quelli neostoricisti di "sincronia" e "diacronia", dal "monologo interiore" alla logica modale, e via procedendo fino alla "cattura" della variabile-tempo nei sistemi informatici e cibernetici. L'angoscia del tempo come "risorsa scarsa", che sta in agguato alle spalle di questi sistemi, viene alla luce osservando i loro quadri teorici soggiacenti, improntati al dispositivo dell'autoreferenza. Qui l'ansia per la corsa del tempo diviene onnipervasiva, trovando il proprio coefficiente marginale nel suo rovescio prospettico: la rimozione del Chronos, la coazione a neutralizzare la serie cronologica rendendola perfettamente reversibile. Per questa decisiva ragione, tutti i modelli autoreferenziali tendono ad assumere una configurazione paradossale: dal teorema di Gödel al codice del DNA, dall'insiemistica di Cantor al paradigma sistemico in biologia (Bertalanffy) o in sociologia (Luhmann). Ma in cosa consiste, precisamente, il paradosso dell'autoreferenza? Per azzardare una risposta faremo, per l'ultima volta, ricorso a Wittgenstein, e segnatamente a quella splendida battuta che si trova nel primo abbozzo (1930) della prefazione alle *Philosophische Bemerkungen*: "Ciò cui si può arrivare con una scala non mi interessa". Il senso radicale e profondo dell'asserzione sta in ciò: se al luogo cui voglio pervenire si potesse accedere solo salendo per una scala, solo ascendendo per una piramide di proposizioni al cui vertice è collocato un assioma, allora devo desistere dal raggiungerlo. "Infatti", osserva ancora Wittgenstein, "dove debbo tendere davvero, là devo in realtà già essere [*dort wo ich wirklich hin muß, dort muß ich eigentlich schon sein*]" (Ludwig Wittgenstein, *Vermischte Bemerkungen* [ed. von Wright], 22). I modelli autoreferenziali – includendo il soggetto-osservatore nel circolo dell'osservazione – sembrano beffardamente replicare a questa provocazione: e se, andando su per la scala, noi scoprissimo che l'ultimo gradino della scala stessa in realtà è il primo? Avremmo in tal caso l'immagine di quello "strano anello d'eterna ghirlanda" con cui Douglas R. Hofstadter, nel suo fin troppo fortunato *Gödel, Escher, Bach*, intende raffigurarci la "vertigine" dell'autoreferenza. Ma come si è pervenuti a questa dominanza dell'"anulare" in un'epoca che, da due secoli a questa parte, sembra in tutte le sue manifestazioni esaltare la “dromomania”, l'ossessione della velocità, l'ininterrotto saettare della freccia del tempo? Nell'affacciare tale questione, siamo giunti all'ultimo punto della sezione “diagnostica” del presente lavoro: quello che investe la dimensione simbolica della coppia prospettiva/aspettativa.

6. La morte del Tempo

*Infra le grandezze delle cose che sono infra noi l'*essere del nulla *tiene il principato, e 'l suo ofizio s'astende infra le cose che non hanno l'essere, e la sua essenzia risiede apresso del tempo infra 'l preterito e 'l futuro, e nulla possiede tutti e tre. Questo nulla ha la sua parte eguale al tutto, e 'l tutto alla parte, e 'l divisibile allo indivisibile, e tal somma produce nella sua partizione come nella multiplicazione, e nello suo sommare quanto nel sottrarre [...]. E la potestà sua no s'astende infra le cose di natura.*

Leonardo da Vinci, *Codice Herder*

Per introdurre quest'ultimo aspetto, formulerò ancora il problema in forma interrogativa. Come si è originato, dentro la prospettiva e l'aspettativa dei moderni, quel campo semantico che va sotto il nome di "temporalizzazione della catena dell'Essere" (Arthur O. Lovejoy)? È il problema-chiave da me già affrontato in precedenti lavori (in specie nel volume *Potere e secolarizzazione*), ponendo a oggetto la natura cumulativa, asimmetrica, irreversibile, del tempo infuturante quale forma di Prospettiva "sovrana" della *Neuzeit.* L'egemonia di una configurazione siffatta della temporalità infrange, per dirla con Leo Spitzer, la *Stimmung*, l'"armonia del mondo" fondata sull'equilibrio di "linea" e "circolo" che contrassegna l'esperienza del tempo in tutte le culture, e che viene solo sottomessa, ma non soppressa, nella stessa età moderna: pensare che una civiltà possa concepirsi e riprodursi in base a una visione puramente lineare del tempo equivale, infatti, a perfetta follia. Connaturata a questa immagine del tempo è l'idea della liberazione come processo interminabile che legittima il sacrificio del presente in funzione di una “prospettiva” informata dalla figura del Progetto. Ma per comprendere la natura di questa attitudine prospettico-progettante non basta – come si è già visto – la Grande Diagnosi heideggeriana. Il Progetto moderno, infatti, oltre a manifestare la sua propensione nihilista rispetto allo spazio, all'organizzazione e all'architettura del mondo, la esercita anche e in special modo sulla dimensione del tempo. La *legittimità* progressista del Progetto moderno si costruisce, anzi, sulla sempre piú marcata estrapolazione della dimensione temporale dall'orizzonte empiricamente circoscritto dell'esperienza (non a caso il termine latino *experientia* è un perfetto calco del greco ἐμπειρία: composto di ἐν, “in”, e πεῖρα, “prova”, “saggio” – da cui la stessa radice di *per-iculum*). Ad afferrare i caratteri della condizione moderna occorre dunque il sussidio di un'ulteriore categoria, che ricavo dai fondamentali lavori di Löwith sul “senso della storia”: quella di *essere-del-futuro*. Ma anche in questo caso, per esplicare fino in fondo il significato di questa categoria, le macrodiagnosi non bastano: neppure quelle di un Löwith o di un Foucault, che pure per molti aspetti isolano e puntualizzano cesure troppo sommariamente omologate da Heidegger al circuito autoreferenziale di origine-essenza e destino-invio, fondativo della sua “storia del nihilismo e della metafisica”.

La piú radicale di queste cesure è quella rappresentata dall'ingresso nella cultura occidentale dell'idea ebraico-cristiana di “redenzione”. Idea sconosciuta al mondo classico, rispetto al quale essa ha esercitato uno straordinario impatto in senso *antidolatrico* e *antisacrale*: giacché la dimensione del “sacro” presuppone sempre una delimitazione di spazio che la contraddistingua e la salvaguardi dalle impurità del “profano”. Gli “incunaboli” etici di questa idea non si trovano tanto, come aveva congetturato nelle sue ricerche l'ultimo Foucault, nella patristica, quanto piuttosto in quel crocevia nevralgico, in cui si intersecano escatologie di provenienza culturale diversa, che è rappresentato dalla *gnosi*. È nella gnosi che prende forma – una forma ancora mitica e teologicamente asistematica, come hanno documentato nelle loro ricerche Hans Jonas e

Henri-Charles Puech – quell'equazione tra *consunzione-accelerazione dei tempi* e *redenzione-liberazione* che sta a fondamento dell'etica dei moderni: l'etica del *sacrificio*, inteso come rimozione della corporeità attraverso la repressione degli istinti e delle pulsioni (a partire dalla sessualità), che fornisce la chiave della risoluzione moderna dell'umanità in "spiritualità" e "interiorità" (e anche sotto questo profilo la riflessione agostiniana rappresenta un crocevia e un punto di svolta decisivo). Ma vi è di piú. Il simbolismo soggiacente a quella equazione reca in sé, nel suo nucleo originario, un assunto assiologico svalutativo nei confronti del presente dell'Eone "mondano". Ed è, paradossalmente, proprio questo deprezzamento del presente e del mondo a innescare la dinamica secolarizzante della *Verweltlichung*: di una "mondanizzazione" che si compie progressivamente attraverso la catena delle "metamorfosi della città di Dio" (Étienne Gilson).

Eppure, occorre ripeterlo, la genealogia non basta, ci fa capire assai poco se non si coniuga con il lavoro di scomposizione volto a individuare figure e cesure determinate della prospettiva moderna. Affinché la nozione di spiritualità liberatrice racchiusa nella "protoetica" della gnosi si traduca nell'idea moderna dell'Umanità come entità morale e soggetto storico, occorrono sviluppi e spostamenti semantici del nucleo originario di notevole portata. La sottolineatura del metodo "genealogico" non può dunque essere posta in contraddizione con l'esigenza di non edulcorare il *détour* che ha condotto all'idea, per noi oggi familiare, di progresso e di prospettica infuturante: idea che, nella sua veste pienamente dispiegata, rappresenta un'acquisizione relativamente recente, localizzabile – sul piano *geistesgeschichtlich* – nel pensiero illuministico e – sul piano della "storia sociale" – nelle trasformazioni che si producono a cavallo tra XVIII e XIX secolo. E qui basterà appena evocare una circostanza determinante: il termine *Geschichte* s'impone nel lessico germanico come "singolare collettivo" – tale da denotare, cioè, un'immagine generale e omogenea di Processo e non una mera contestualità ciclico-situazionale di πράγματα o *res gestae* – solo in epoca relativamente recente, con il *Dizionario*

di Adelung del 1778 (appena tre anni prima dell'uscita della *Critica della ragion pura* di Kant).
Ma va da sé – senza dover perciò scomodare gli ormai cospicui risultati della storia sociale delle mentalità, troppo spesso disinvoltamente ignorati dai "filosofi di professione" – che i tratti salienti di questo processo non sono soltanto quelli macrostorici (rappresentati dai giganteschi rivolgimenti politico-istituzionali che conducono all'introiezione, da parte dello Stato postrivoluzionario, della triade *liberté-égalité-fraternité* come nuovo modello di legittimazione), ma soprattutto quelli "microstorici", che investono le modifiche e alterazioni intervenute nei comportamenti morali e socioculturali in genere: basti pensare alla "purificazione dello spazio pubblico", alla saldatura tra morale e *public opinion* e all'insorgere delle nuove forme di "disciplinamento" tipiche delle democrazie industriali contemporanee. Sta qui, beffardamente, il magico punto di intersezione tra "principio speranza" e "principio repressivo" in cui viene forgiandosi la prospettiva moderna. Intersezione che, come aveva precocemente intravisto Alexis de Tocqueville, assume ai giorni nostri le sembianze di una vera e propria "massa critica" che dà luogo a un'opprimente patologia del vivere: pensiamo segnatamente a quelle pagine della *Démocratie en Amérique* in cui si stigmatizza "la specie di oppressione che minaccia i popoli democratici"; un'oppressione di cui sarebbe vano ricercare antecedenti nei nostri ricordi, e a definire la quale non soccorrono piú antiche parole come "dispotismo" e "tirannide".

Ora, mentre in genere questa patologia viene affrontata "a valle", per cui si parla di controfinalità o "effetti perversi" della modernizzazione (termine spesso disinvoltamente adoperato come sinonimo di Moderno), occorre compiere uno sforzo per cercare di pensarla "a monte", penetrando il meccanismo che l'ha prodotta. Ma è proprio a chi vuole far ciò che i paradossi della prospettica infuturante si rivelano ineludibili.
Adottando – con declinazione e finalità diverse – una coppia ermeneutica approntata da Reinhart Koselleck (che è attualmente in Germania tra i massimi ispiratori della nuova *Begriffsgeschichte* o "storia dei concetti"),

vorrei a questo punto riproporre una tesi da me già ampiamente illustrata nel libro sopra ricordato: la "patogenesi" del Moderno è rappresentabile come un'inversione simbolica del rapporto – costitutivo dello stesso Progetto moderno – tra dimensione prospettica (o "orizzonte di aspettativa") e "spazio di esperienza". La conseguenza di questa inversione è che la prospettiva tende progressivamente a fagocitare l'esperienza. Servendoci di un ricorso analogico al concetto di "prospettiva", saremmo allora portati a dire che negli sviluppi del Progetto moderno l'espandersi e l'infittirsi delle "interrelazioni" prospettiche avviene a discapito della concreta fisionomia e "corporeità" delle figure, che si vedono ridotte a meri contrassegni di posizione. La patologia – si badi – è presente già agli esordi della *Neuzeit* (per alcuni – e valga per tutti il riferimento alla *Dialektik der Aufklärung* di Horkheimer e Adorno – addirittura alle origini del Logos occidentale). Essa palesa tuttavia la propria attitudine opprimente solo quando la dimensione del futuro perde la sua carica simbolica "forte", e dunque di per sé legittimante. Quando, cioè, la progettazione futurizzante appare all'immaginario individuale e collettivo non piú come prospettiva liberatoria, bensí come fattore di coazione e interdizione dell'esperienza. La co-essenzialità di questa patogenesi all'"età nuova" è riprovata in controluce dalla geniale intuizione shakespeariana della pulsione di morte che sta a fondamento dell'accelerazione: l'energia cinetica come assalto al Tempo equivale alla "Morte che uccide la Morte". La condizione moderna vive, in altri termini, sotto una costrizione perenne: per guadagnare tempo, essa non può fare altro che temporalizzare tutto ciò che incontra sul suo cammino. Ma questa inflazione del tempo induce il paradosso della "morte del tempo", del "tempo esaurito": ogni futuro che il progetto moderno "intenziona" può sussistere nella sua effettualità solo in quanto declinato al passato. Di qui l'apparente mistero della cooriginarietà di coscienza storica "progressiva" e museizzazione del passato: il bisogno di rinchiudere e conservare il passato nei musei insorge, infatti, in stretta concomitanza con l'acquisizione dell'idea generale di Progresso. Nei suoi frammenti postumi *Über die letzten Dinge*, Otto Weininger aveva segnalato lucidamente questa patologia, riconducendola a una retroazione sulla coscienza dell'immagine del tempo come irreversibilità, la cui proprietà consiste nel diventare sempre e soltanto "passato reale": mai "futuro reale". Il fenomeno discende direttamente dal fatto che la riflessione moderna sulla storia non ha mai problematizzato la nozione di "ieri", per il semplice motivo che essa ha silenziosamente inglobato il significato di storia nella tridimensionalità temporale agostiniana e nella sua contrazione: con la differenza che il Moderno, rispetto al pensiero che lo ha preceduto, ha da una parte estrapolato la "storicità" dell'evento (ivi compreso l'evento della presa di coscienza della storicità stessa della nostra esistenza), mentre dall'altra ha messo tra parentesi la locuzione "eternità", facendola coincidere *de facto* con il movimento storico stesso. Di qui la pretesa di produrre un εἶδος della Storia, conferendo a quest'ultima tutte le prerogative "poietiche" – ossia aletico-produttive – che erano un tempo assegnate alla rappresentazione soggettocentrica: e oggi invece – in questa temperie da *posthistoire* in cui ci accade di vivere – ascritte a quelle Strutture o a quei Codici dell'autoreferenza che possono fare a meno del "centro" solo perché sono essi stessi divenuti Soggetto, o quantomeno surrogato delle sue "funzioni". Da questo meccanismo dipende l'inversione di segno del simbolismo prospettico che sta dinanzi agli occhi di tutti noi: se alcuni non sono in grado di vederla è semplicemente perché – da bravi figli della prospettiva moderna – sono affetti da (inguaribile?) presbiopia.

È l'acuta e dolorosa esperienza di questa inversione *simbolica* del tempo che sta alla base del tentativo di rilancio della *Darstellung* compiuto da Walter Benjamin nelle sue celebri, e ormai abusatissime, tesi *Über den Begriff der Geschichte*. Non credo vi sia contraddizione, ma al contrario *produttiva ambiguità*, nel corpo di queste tesi, tra l'enfasi sulla *Jetztzeit* – sull'"adesso" o "tempo-ora" come rottura del *continuum* entropico del Progresso, della "meretrice 'C'era una volta' nel bordello dello storicismo" – e la "'rappresentazione' (*Dar-*

stellung) del passato". Occorre allora intendersi una volta per tutte sul significato benjaminiano di rappresentazione. Essa non ha piú un valore metodologico, e neppure meramente teorico, ma soprattutto *etico-pratico*: nel "tempo della miseria", che riceve il suo contrassegno non già dalla coppia (cara a tante, palesi od occulte, "filosofie della vita") *Erlebnis-Form* ma dall'endiadi *Erfahrung-Armut*, la *Darstellung* allude al punto – punto infinitesimale, margine pericolosamente minimo – in cui soltanto può darsi la sutura tra riappropriazione del passato e immagine dell'umanità redenta. "Il passato", si legge nella seconda tesi, "reca con sé un indice temporale che lo rimanda alla redenzione". Sta qui racchiuso anche il significato della "*debole* forza messianica" (schwache *messianischeKraft*) trasmessaci in dote, di cui si parla subito dopo. Essa si spiega precisamente con il fatto che il margine di convertibilità reciproca tra "diritto" del passato e "redenzione" è inesorabilmente esiguo: anzi – ancora una volta – *pericolosamente minimo*. Ritengo sia fortemente presente a Benjamin (a onta delle critiche tese, come per esempio quella di Jürgen Habermas, a liquidare la sua riflessione come "gesto" estetizzante) la consapevolezza che la tendenza infuturante del tempo storico progressivo, la cui prospettiva volge al futuro la fronte (e non le spalle, come l'angelo di Klee, il cui viso è invece rivolto al passato) e trasforma la catastrofe della storia in una trionfale "catena di eventi", rappresenti il fattore che ha espropriato gli uomini non solo del passato (ridotto a "immagine eterna", neutralizzato in "patrimonio culturale") ma della stessa dimensione del futuro. Benjamin avrebbe probabilmente sottoscritto la proposizione con cui Raymond Queneau apre *Une histoire modèle*: "I popoli felici non hanno storia. La storia è la scienza dell'infelicità degli uomini". Con la differenza che per lui la via di accesso alla comprensione di questa infelicità non può essere data né da una mitopoiesi narrativa (il "récit de fiction" di cui parla Paul Ricoeur nel suo ambizioso *opus* su "tempo e racconto"), né da un ritorno all'immagine ciclica dell'ἀποκατάστασις (e dunque da un'"abdicazione neostoica alla coscienza storica" *à la* Löwith), bensí da una *rappresentazione ipermoderna* la cui chiave concettuale si trova depositata proprio nell'ultima tesi*: il fatto che la Torah vietasse agli ebrei di investigare il futuro, istruendoli invece alla memoria, non vuol dire affatto che il futuro diventasse per loro una *homogene und leere Zeit*, un "tempo omogeneo e vuoto". Al contrario, ciò costituiva la sola condizione per rappresentarsi il futuro come un tempo all'interno del quale "ogni secondo era la piccola porta da cui poteva entrare il Messia".

Non è forse depositato qui anche il motivo profondo della passione benjaminiana per il barocco? Questa "passione" non è in realtà che l'interfaccia della sua accanita ostilità nei confronti della tirannide del metodo: alla memorizzazione ordinata e coattiva che per un verso s'infutura, per l'altro riduce il passato a una galleria di ritratti, egli oppone quel barocco che nei labirinti alessandrini delle biblioteche ricerca le pieghe piú sottili di una realtà umbratile e dispersa, la cui molteplicità complica tutti i possibili quadri sinottici. Il collezionismo barocco assurge cosí a metafora di un Moderno attraversato da una tensione perenne – come ha notato Starobinski a proposito della celebre *querelle* sulla "melanconia" – tra il polo della tesaurizzazione e quello dell'invenzione: anche nel senso di *inventio* retorica.

È un aspetto decisivo, che illumina in controluce il senso della famosissima, e fin troppo chiosata, sesta tesi. Quando Benjamin ammonisce che "solo quello storico ha il dono di accendere nel passato la favilla della speranza, che è penetrato dall'idea che anche i morti non saranno al sicuro dal nemico se egli vince – e questo nemico non ha smesso di vincere", egli allude a una prerogativa molto particolare di quello "storico": che non è né quella di "spiegare", né quella di "narrare", bensí quella di rappresentare. Solo quello storico che è capace di produrre la *Darstellung* che "salva" l'evento dalla neutralizzazione operatane dalla spiegazione e dalla narrazione – solo *quello* storico – è in grado di sve-

* Nella piú recente edizione critica il testo in questione viene riportato in appendice come tesi B: cfr. *GS*, VII; e, per la nuova versione italiana con testo a fronte, *Sul concetto di storia*, a cura di G. Bonola e M. Ranchetti, pp. 56-57.

lare il volto di Giano che presiede alla patologia dei moderni, rendendo visibile come *Futurismus* progressista e "patrimonializzazione" o "museizzazione" del passato altro non siano che due facce di un'unica medaglia: proiezione apologetica di un presente sigillato dalla mitologia e dalla giurisprudenza del "vincitore".
Fin qui la "rappresentazione" benjaminiana. E non si rifletterà, credo, mai abbastanza sul rapporto che lega questo processo di *espropriazione dell'esperienza* al costante proliferare degli ossimori in politica: "rivoluzione conservatrice" è stato uno di questi, e non è certo una novità di oggi, ma anticipa di svariati decenni le disinvolte *boutades* di un Luhmann sull'equivalenza "performativa" di conservazione e innovazione: e in effetti, il vero conservatore non è piú da tempo colui che prende partito per la Tradizione, ma colui che si prodiga a *conservare il mutamento* entro i limiti imposti dalla logica di ottimizzazione delle istituzioni tecnopolitiche dell'"autoreferenza".
Vediamo cosí emergere uno dei piú cruciali problemi filosofici (e non solo filosofici) del nostro tempo: è possibile superare lo scarto tra esperienza e prospettiva, presente e aspettativa, esistenza e progetto? Come colmare, per dirla con Blumenberg, il divario tra *Lebenszeit* e *Weltzeit*, "tempo della vita" e "tempo del mondo"?

Le difficoltà di dare a questi interrogativi una risposta convincente e non elusiva sono aggravate dall'abisso che separa le due tracce piú radicali della riflessione filosofica di questo secolo: quella che enfatizza l'aspetto della riconquista del "presente" nei termini di un'effrazione del tempo storico progressivo e della sua coattiva prospettica infuturante (Benjamin) e quella che sottolinea invece la dimensione esistenziale intesa come Da-*sein*, Esser-*ci*, apertura o "radura illuminata" (*Lichtung*) dell'Essere che può recuperarsi non già nei termini dell'effrazione, ma in quelli della *metànoia*, di un *raccoglimento-ritorno* (*Einkehr-Rückkehr*) all'"essenza" del nihilismo tale da favorirne il definitivo compimento destinale, inaugurando in tal modo una fondamentale disposizione al mutamento-di-stato (Heidegger). Da un lato abbiamo cosí un Presente senza esistenza, dall'altro un Esserci senza presente. Da ambo i lati, un

inadeguato approfondimento filosofico del termine-concetto "esperienza".
Di fronte alla profondità della frattura tra questi due lati – che non può certo essere retoricamente colmata gettando comodi ponticelli sull'abisso – appare mistificante sia quella proposta che punta a una guarigione epifanica dal nihilismo (nel senso prospettato oggi in Italia da Emanuele Severino), sia quella che scommette sulla carta del nihilismo come disincanto liberatorio, dissolvenza cromatica capace di destrutturare ogni centro, ogni autoconsistenza "soggettuale" (nel senso di Gianni Vattimo). Queste due posizioni, in apparenza antitetiche, paiono accomunate dall'attitudine *sdrammatizzante* con cui guardano alla "situazione spirituale del tempo". A entrambe sembra sfuggire il paradosso del nostro presente: l'inestricabile intreccio di "ricchezza" (di possibilità) e "povertà" (di esperienze) che lo connota. Un "presente" che non è piú risolvibile nell'attualità di un'ἐνέργεια "modernamente" attribuita al modo, all'*hic et nunc*, alle presunte virtú autorigeneranti dell'"appena accaduto", ma necessita ormai – *dopo* Hegel, *oltre* Heidegger – di una radicale ridefinizione filosofica. Un "presente", infine, la cui dimensione autentica non può essere espressa dall'apologia postmoderna della "deriva", del "naufragio" dedotto come tale, accettato dionisiacamente o esaltato come destino, ma piuttosto dall'"inattualità" dell'*interrogazione* sul naufragio.
Interrogarsi sul naufragio implica però, a questo punto del percorso, una presa di distanza dalle forme in cui, nei diversi passaggi e svolgimenti sopra stilizzati, è stata affrontata la questione del tempo. Impone – in altri termini – uno spostamento laterale della *Fragestellung* rispetto al *theatrum philosophicum* che abbiamo fino a questo momento messo in scena.

7. Lo spazio-tempo, il campo, l'esperienza

Anche il *theatrum philosophicum* esibisce, come si è visto, una ragguardevole folla di *idola*. Ma perché spostamento *laterale* rispetto a esso?

Il dispositivo della risposta è – ancora una volta – semplice, mentre le sue implicazioni appaiono – in certo qual modo – paradossali. Non si dà infatti né soluzione possibile né fondamentale sviluppo della "questione del tempo" restando ancorati ai binari di una concettualizzazione *stricto sensu* filosofica. A questa conclusione siamo costretti a giungere proprio prendendo atto degli esiti cui pervengono nel nostro secolo quelle che abbiamo appena caratterizzato come le due tracce piú radicali di riflessione filosofica sulla *Zeitfrage*. Se, infatti, la posizione di Heidegger (ma un discorso analogo potrebbe essere fatto anche per altri autori non meno radicali: come per esempio Bataille) si presenta come l'interfaccia o il "rovescio del guanto" del nihilismo e dunque come un'apologetica indiretta e una *sacralizzazione* della sua intera traiettoria, non meno aporetica risulta essere la posizione di Benjamin. La sua ripresa del tema della *Darstellung* è, come si è visto, contrassegnata da una straordinaria tensione etico-pratica. Eppure la sua scommessa sulla *Jetztzeit* come punto di leva per un'effrazione e un'inversione simbolica dell'entropia del "tempo omogeneo e vuoto" mi appare oggi, sotto il profilo teoretico, un vicolo cieco: confinata a un ruolo di replica rovesciata, piuttosto che di alternativa, a quella condizione moderna cui la "condizione postmoderna" – con buona pace di Jean-Francois Lyotard e dei suoi epigoni – interamente soggiace e, per dirla con Carlo Michelstaedter, "non può uscire dal gancio, poiché quant'è peso pende e quanto pende dipende".

I paradossi del tempo non si esauriscono né nella diagnosi, prettamente occidentale (veteroeuropea?), della patogenesi o della tendenza entropica inerente alla "temporalizzazione della catena dell'Essere", né tanto meno nella proposta di una sua rottura catastrofica o di un suo sovvertimento. E ciò per la semplice ma decisiva ragione che essi vanno ben al di là della stessa dimensione storica e della pur "epocale" delimitazione di campo costituita dalla vicenda del "razionalismo occidentale". Sta qui anche il motivo per cui ogni assunto *antropocentrico* (quale, nonostante tutto, rimane quello heideggeriano) è destinato necessariamente a eludere i paradossi del tempo. Essi possono essere, pertanto, adeguatamente fronteggiati solo da uno spostamento laterale: da una visualizzazione *alternativa* – e non da un mero rovesciamento prospettico – del nesso che stringe la *Zeitfrage* al problema dell'*esperienza.*

A quest'ultimo aspetto dedicherò adesso alcuni rapidi cenni, tentando cosí di far richiudere su se stessa l'orbita delle mie riflessioni.

Preliminare a una proficua impostazione dei rapporti tra tempo ed esperienza dovrebbe propriamente essere la domanda: quanto è adeguata la filosofia del nostro secolo alle rivoluzioni del *Weltbild* prodottesi in ambito scientifico naturale e – con tutte le differenze del caso – artistico? Un analogo interrogativo è stato sollevato anche da Habermas, nel saggio che apre il suo volume del 1988 *Nachmetaphysisches Denken.* Ma in una forma che non ritengo di poter condividere: "Wie modern ist die Philosophie des 20. Jahrhunderts?", "Quanto è moderna la filosofia del XX secolo?". Continuare a impostare il problema in chiave di "modernità", nel momento in cui la nuova immagine del mondo fisico richiama in causa aspetti fondamentali per molti versi già intuiti, se non addirittura compresi, da antichissime cosmologie, mi pare francamente un ulteriore esempio di riduzionismo. Le antichissime cosmologie a cui si allude non sono soltanto occidentali, se si ha presente la definizione di "universo" contenuta nel Canone cinese di Mo Tzu, risalente al "Periodo delle guerre di Stato" (480-221 a.C.). L'equivalente cinese della parola "l'universo" è *yu zhou*: dove *yu* "comprende tutti i differenti luoghi" e *zhou* "comprende tutti i differenti tempi". Il significato proprio di *yu zhou* è dunque *spazio-tempo*. Ma ancora piú significativo è il modo in cui il Canone di Mo Tzu imposta la relazione tra l'universo, in quanto composto inestricabile di tempo e spazio, e il moto: "A causa dell'estensione di tempo e spazio, i limiti dello spazio sono in costante mutamento. [...] L'estensione dello spazio ha la sua evoluzione e il suo permanere. Lo spazio muta dimensione dal Sud al Nord e dall'alba al tramonto, cosí il moto comprende spazio e tempo". Si comprende allora la sorpresa di Matteo Ricci nello scoprire, giungendo in Cina sul finire del XVI secolo, che la cosmologia cinese contemplava "un solo cielo e non dieci cieli", immaginando inoltre quest'ultimo non come una sfera di cristallo ma come un "vuoto" in moto costante. Ma si comprende anche altrettanto bene come una tale visione ritorni oggi di attualità alla luce della svolta epistemologica determinatasi con la teoria della relatività e la meccanica quantistica.

Non mi è possibile – per fin troppo ovvie ragioni – che sfiorare appena le implicazioni generali di una "cesura" la cui incidenza sulla riflessione filosofica attende ancora una considerazione adeguata. Rispetto al nostro problema va tuttavia segnalato un aspetto decisivo. Da queste teorie risulta definitivamente eliminata, come ha osservato tra gli altri Thomas Gold, "l'idea di uno scorrere del tempo uniforme e universale". Anche laddove si assumesse la precisazione kantiana per cui non è il tempo propriamente a "scorrere", bensí i fenomeni secondo l'ordine del "prima" e del "dopo", si dovrebbe aggiungere che la nozione di fenomeni istantanei che scorrono lungo la coordinata-tempo "non è riscontrabile in nessuna delle osservazioni che facciamo", essendo piuttosto una finzione "riscontrabile solo nella nostra mente". Ragion per cui la totalità dell'"osservabile" potrebbe essere completamente descritta "senza alcun ricorso alla nozione dello scorrere del tempo". La stessa nozione di "freccia temporale" viene in tal modo ad assumere una connotazione *mitica* (come ha di recente notato Enrico Bellone), mentre l'idea di una temporalità asimmetrica, cumulativa e irreversibile, prende le sembianze di un'illusione o finzione "soggettiva" destinata a infrangersi contro la barriera delle leggi della meccanica (compresa la meccanica quantistica) e dell'elettrodinamica: esse sono "tutte simmetriche rispetto al tempo", in quanto "tutti gli eventi che sono stati osservati sarebbero potuti accadere in un senso temporale opposto, senza infrangere alcuna legge fisica".

La questione del tempo, una volta pervenuti a questo nuovo piano problematico, richiede dunque una radicale riformulazione. L'interrogativo da porsi non è piú "Che cos'è il tempo?" o "Qual è la direzione del tempo?", ma piuttosto: "Che cosa genera in noi l'idea di *una* direzione del tempo?". Una tale domanda include in sé due distinti livelli, afferenti rispettivamente ai paradossi del *common sense* e ai paradossi "logici" della temporalità. A entrambi appare sottesa la questione dell'esperienza, per un motivo tanto determinante quanto purtroppo precluso a gran parte della retorica filosofica contemporanea: "noi viviamo in un universo completamente *asimmetrico* rispetto al tempo, mentre tutte le leggi che operano in esso possiedono una *simmetria* temporale" (Thomas Gold).

Il paradosso cosí formulato in sede scientifica trova un punto di convergenza non incidentale con tutti quegli aspetti del pensiero contemporaneo che non hanno avuto timore di far entrare in gioco l'"ospite inatteso": quel "perturbante", cioè, capace di produrre uno spostamento laterale dello sguardo che tradizionalmente parte dalla "soggettità" (sia essa l'idea platonica, o il Cogito cartesiano, o il trascendentale kantiano) per proiettarsi verso l'apertura culturale della *Sinngebung*, della "donazione di senso". A una tale esigenza sembra venire incontro, sia pure sussultoriamente, il Nietzsche di *Götzendämmerung*, quando parla del modello causale come proiezione della nostra paura interiore, che ci porta a cristallizzare l'"abitudine" e a espungere dall'orizzonte l'Estraneo. Ma *non* Heidegger: il quale, malgrado la felice intuizione del problema dell'essere come paradosso di una "prossimità distante", finisce poi per ricadere nella veduta antropocentrica (e antropomorfica) con la sua idea del linguaggio come autentica "casa dell'Essere [nella cui] dimora abita l'uomo" (idea in cui taluno ha ritenuto di ravvisare una singolare confluenza con il punto di partenza di Wittgenstein).

Che il problema appena enunciato sia quanto mai arduo, sta a dimostrarlo il fatto che la sua denominazione può darsi soltanto in negativo: ἄ-πειρον, *in-finitum*, *un-endlich*. E non è forse una negazione lo stesso termine adottato da Freud per ciò che impropriamente definiamo "perturbante": *un-heimlich*, "non-domestico", e – di conseguenza – *spaesante*?

Tutti temi che presuppongono in filosofia, per usare la suggestiva espressione di Thomas Nagel, l'attivazione di una *view from nowhere*: uno spiazzamento anti-antropomorfico dello "sguardo" simile a quello che ha consentito alla scienza contemporanea di chiamare in causa un "cono della luce all'infinito" (Roger Penrose) in cui l'ordine temporale non è definibile, ossia non è "raggiungibile con traslazioni temporali (e spaziali) finite", e che perciò si può dire "fuori del tempo".

La posta in gioco di un confronto tra scienza e filosofia sembra, pertanto, indirizzarsi verso un'*alternativa radicale alla dipendenza moderna dall'ossessione del tempo.* E se la radice di questa dipendenza risiede – come si è precedentemente visto – in una unilateralizzazione e indebita estrapolazione della coordinata-tempo, il *détour* può essere dato soltanto da una fondamentale revoca in questione di un'intera tradizione filosofica che ci ha abituati a considerare ovvia, senza alcun beneficio d'inventario, l'antitesi di tempo e spazio.

Sotto questo profilo, acquista per me un valore quasi simbolico la differenza prospettica che intercorre, nel modo di impostare il nesso esperienza-temporalità, tra Bergson e Baudelaire. *Prima facie*, anche quest'ultimo sembra privilegiare la dimensione temporale: la "vibrazione sensibile", che coinvolge all'unisono gli oggetti e i pensieri, appare come una dinamica del vissuto protesa verso il futuro. Per questa via la sua visione ha potuto essere superficialmente assimilata a quelle di Bergson e di Proust. In realtà, basta dar mano a una sinossi appena accurata tra la componente poetica e quella saggistica della sua opera perché si sfati come un miraggio l'equivoco latente in questa frettolosa omologazione. A Baudelaire non interessa affatto stabilire un'*identità essenziale* del tempo, ma piuttosto suggerire che la profondità dello spazio fa tutt'uno con l'"allegoria della profondità del tempo". Ma una tale contestualità è intanto possibile, in quanto il tempo baudelairiano *si è spogliato di tutte le sue prerogative squisitamente temporali* (successione, cambiamento, discontinuità, irreversibilità), per *assumere proprietà propriamente spaziali.* Per il semplice fatto di costituire una dimensione reale dell'esperienza umana, il tempo vissuto non può assolutamente darsi indipendentemente dallo spazio. Ed essendosi in tal modo spazializzato il tempo, tutta *l'esperienza vissuta appare come spazializzata.* Anzi: identica allo spazio. Lo stesso tempo può rendersi propriamente visibile, essere "sinestesicamente" percepito ed esperito, solo come *una delle dimensioni dello spazio,* che viene pertanto complessivamente a coincidere con la stessa estensione dell'esistenza. "Giungendo a provare la sensazione dello spazio", ha osservato Georges Poulet, "Baudelaire perviene a provare la sensazione del tempo come la medesima sensazione; bisogna intendere questo tempo nel senso di Bergson, cioè *tempo vissuto,* con questa sola differenza, essenziale però, che per Baudelaire il tempo vissuto non è il contrario, ma la stessa cosa dello spazio. Nell'esperienza baudelairiana tempo vissuto e spazio vissuto sono l'uno l'esatto analogo dell'altro". Nulla di piú lontano, dunque, da Bergson. Ma, al tempo stesso, "nulla di piú differente dalla visione retrospettiva di Proust, sempre limitata, intermittente e frammentaria. Nei suoi momenti piú potenti, piú felici, la visione di Baudelaire plana sopra l'esistenza" (Georges Poulet).

Le componenti del vissuto non sono piú assunte dentro lo schema opposizionale, linearmente antitetico, di *autenticità temporale* (o interiorità) e *inautenticità spaziale* (o esteriorità) – schema che, a partire da Agostino, ha permeato di sé l'intera esperienza dell'Occidente moderno – ma al contrario implicate come "reagenti" nel quadro di una rappresentazione inestricabilmente spazio-temporale: in virtú della quale le kantiane "forme trascendentali" dello Spazio e del Tempo sono, e non possono che essere, indissolubilmente intrecciate e coinvolte in un medesimo movimento destinale. Questo movimento è esattamente un *movimento prospettico*: "l'atto con cui, per giungere alla profondità, si apre nel campo visivo una strada che lo sguardo percorre". Si spiega cosí il significato recondito delle "magiche prospettive" che Baudelaire dispone nelle sue memorabili descrizioni paesaggistiche e che fa corrispondere le sue analisi delle tele di Delacroix alle proiezioni che l'esperienza organizza nei "quadri" del suo vissuto: "*Evaporazione* e *centralizzazione* (o *condensazione*) dell'Io: è tutto qui" (*Œuvres*, II, 642). Evaporazione inebriante e condensazione nel ricordo e nel rimpianto rappresentano i confini, i termini estremi, di un movimento del vissuto che tende a coincidere con lo spazio. Un'esistenza spazializzata è un'esistenza evaporata in *numero*: "Il numero", sottolinea Baudelaire, "è una traduzione dello spazio" (*ivi*, 663). E poiché sempre di spazio vissuto si tratta, anche il numero andrà inteso nel senso di numero vissuto. Sta qui la chiave segreta dell'immagine baudelairiana di "ripetizione": essa prospetta la virtualità di esperire una moltiplicazione dell'esistenza attraverso un'infinita estensione di campo delle sensazioni. La moltiplicazione dell'esistenza divenuta numero dipende cosí da questa misteriosa facoltà di ripetere il suo salto lungo tutta la superficie dell'essere: di rimbalzare come un'eco lungo la misteriosa curva di uno spazio-tempo i cui confini non sono mai tracciati definitivamente. Non per nulla i versi piú belli e significativi di Baudelaire sono proprio quelli che esprimono il riecheggiamento:

> Comme des longs échos qui de loin se confondent...
> C'est un cri répété par mille sentinelles...

Non si dà, pertanto, né reale né possibile esperienza del tempo a prescindere dallo spazio. La geniale intuizione baudelairiana circa la costruzione di una *profondità di campo* quale condizione imprescindibile per afferrare-insieme (null'altro se non questo è il significato di "comprendere") gli eventi che ci accadono sopravanza, in questo senso, di gran lunga la nozione di "tempo vissuto" di Bergson: non piú Spazio come morte del Tempo, estinzione della sua fluente autenticità nel rigore esclusivo della misurazione cronometrica, ma spazializzazione come *conditio sine qua non* per poter fare esperienza, anche a livelli minimi e quotidiani, di quanto ci accade. Come potremmo, infatti, esperire gli eventi della nostra vita se non li collocassimo, non solo nella memoria o nella prospezione del futuro ma anche nel mentre che ci accadono, all'interno di una scena? Se non fossimo capaci, non solo in stato di sonno ma anche in stato di veglia, di sognarli? E cos'altro è il sogno se non – come ci insegna per l'appunto quel grande testo iniziale (e iniziatico) del Novecento che è la *Traumdeutung* – una messinscena originaria: anteriore alla stessa costituzione dell'identità, alla stessa distinzione tra "soggetto" e "oggetto" del conoscere? Per quanto sia indubbio che, quando Baudelaire parla della coincidenza tra profondità dello spazio e profondità del tempo, nulla sia piú lontano dal suo pensiero dello spazio-tempo scientifico o cosmologico, ciò non toglie tuttavia che la sua prospettiva possa trovare espressione adeguata solo attraverso il recupero di un'*idea "aionica" di tempo.*

I margini ipermoderni della "sinestesia" baudelairiana finiscono cosí per trasmetterci un'intuizione e un messaggio molto antichi: la quintessenza del Tempo fa tutt'uno con la sua eterna proiezione spaziale. Figura irraggiungibile, propriamente irrappresentabile, che coincide perfettamente con la definizione platonica dell'αἰών-*ævum.* E tuttavia, nella sua impossibilità, realissima. L'idea di un Cerchio del tempo adombra, con il suo rinvio alla metafora della trottola, la chiave segreta dell'enigma cui diamo da millenni i nomi di εἶδος, *idea, identità, forma.* E con una mossa laterale impercettibile – proprio come nel gioco degli scacchi – ci pone al

cospetto della soglia, del misterioso *passaggio* da cui si origina la "grande scultura" del Tempo. La nostra esistenza assomiglia all'arcana legge di quel vortice, di quel moto perpetuo che tiene la trottola ritta sulla punta, come su un apice rovesciato: trottola sublime è, in questo senso, la Nike di Samotracia, quale ci si staglia dinanzi in cima a quella rampa di scale del Louvre...
Solo osservando con lucidità lo statuto *realissimo* di questo Impossibile si può sperare di cogliere come il vero sortilegio stia nel Chronos, nel tempo come successione. *Sub conservatione formæ specificæ salva anima*: cosí recita la frase di Raimondo Lullo posta in esergo al racconto *Eleonora* di Edgar Allan Poe (autore non per caso cosí caro a Baudelaire). Ed è nello stesso racconto che troviamo la straordinaria intuizione della "barriera di contatto" (Wilfred R. Bion) tra regime "diurno" e "notturno", anticipatrice di tanta ricerca psicoanalitica a noi contemporanea: "Coloro che sognano a occhi aperti sanno molte cose che sfuggono a quelli che sognano soltanto di notte".
Ma se il motivo baudelairiano del "campo" e della sua indeterminata cavità sembra idealmente allacciarsi a quel passo del *Timeo* in cui si parla di χρόνος come di un'icona-in-movimento di Αἰών, come di un'"immagine mobile dell'eternità", il motivo del "numero" sembra incontrarsi, in una misteriosa coincidenza, con quella celebre ipotesi del *Parmenide* in cui l'*istante* – o meglio "l'istantaneo" (τό ἐξαίφνης) – viene prospettato come una dimensione soggiacente alla stessa divaricazione tra "tempo" ed "eternità": "L'istante. Pare che istante significhi [...] ciò da cui qualche cosa muove verso l'una o l'altra delle due condizioni opposte. Non vi è mutamento infatti che si inizi dalla quiete ancora immobile né dal movimento ancora in moto, ma questa natura dell'istante è qualche cosa di assurdo [ἄτοπος] che giace fra la quiete e il moto, al di fuori di ogni tempo..." (*Parm.*, 156d-e).
D'altra parte, le acquisizioni della scienza contemporanea non ci hanno forse segnalato che il piano di realtà costituitosi con l'origine dell'evoluzione e delle forme viventi rappresenta la risultante di un evento estremamente improbabile dentro un universo che non è né

attualmente, né forse potenzialmente alla portata della nostra mente? E perché mai, allora, l'"istante" cosmico dovrebbe essere meno "reale" di quella dimensione angustamente domestica in cui siamo abituati e costretti a vivere, e a cui abbiamo dato l'appellativo di "tempo"?
Solo su questo sfondo l'eterna questione potrà essere ripresa: con tutte le proiezioni "antropiche" del caso, ma senza piú cedere alla tentazione di edificanti o consolatori appiattimenti della cosmologia sull'antropologia. Poiché solo all'apparire del "perturbante" si dileguano gli idoli. *Exeunt simulacra.*

Riferimenti bibliografici

Adorno, Theodor W., *Jargon der Eigentlichkeit*, Suhrkamp, Frankfurt am Main 1964; ora in *Gesammelte Schriften*, VI (trad. it. *Il gergo dell'autenticità*, introduzione di Remo Bodei, Bollati Boringhieri, Torino 1989).

Adorno, Theodor W., *Minima moralia. Reflexionen aus dem beschädigten Leben*, Suhrkamp, Frankfurt am Main 1951; ora in *Gesammelte Schriften*, IV (trad. it. *Minima moralia*, introduzione di Renato Solmi, Einaudi, Torino 1954).

Alberti, Leon Battista, *Della Pittura* [1436], edizione critica a cura di Luigi Mallé, Sansoni, Firenze 1950.

Arendt, Dieter, *Der Nihilismus als Phänomen der Geistesgeschichte in der wissenschaftlichen Diskussion unseres Jahrhunderts*, Wissenschaftliche Buchgesellschaft, Darmstadt 1974.

Arendt, Hannah, *The Life of the Mind*, prefazione di Mary McCarthy, Harcourt Brace, San Diego-New York-London 1978 (trad. it. *La vita della mente*, a cura di Alessandro Dal Lago, il Mulino, Bologna 1987).

Arnheim, Rudolf, *Entropy and Art. An Essay on Disorder and Order*, University of California Press, Berkeley 1971 (trad. it. *Entropia e arte. Saggio sul disordine e l'ordine*, Einaudi, Torino 1974).

Augustinus, Aurelius, *Confessiones*, in Migne, Jacques P., *Patrologiae cursus completus, Series Latina*, 32, Paris 1861 (trad. it. *Le confessioni*, Società Editrice Internazionale, Torino 1975).

Badiou, Alain, *L'être et l'événement*, Éditions du Seuil, Paris 1988.

Bast, Rainer A., *Der Wissenschaftsbegriff Martin Heideggers im Zusammenhang seiner Philosophie*, Frommann-Holzboo, Stuttgart-Bad Canstatt 1986.

Baudelaire, Charles, *Œuvres*, Gallimard “La Plèiade”, Paris 1932.

Bellone, Enrico, *I nomi del tempo*, Bollati Boringhieri, Torino 1989.

Benjamin, Walter, *Erfahrung und Armut*, in Id., *Gesammelte Schriften*, a cura di Rolf Tiedemann e Hermann Schweppenhäuser, Suhrkamp, Frankfurt am Main 1977, II, 1.

Benjamin, Walter, *Über den Begriff der Geschichte*, in Id., *Gesammelte Schriften*, Suhrkamp, Frankfurt am Main 1974, I, 2 (trad. it. *Sul concetto di storia*, in Id., *Angelus Novus*, Einaudi, Torino 1962; ora in *Sul concetto di storia*, a cura di Gianfranco Bonola e Michele Ranchetti, Einaudi, Torino 1997).

Bataille, Georges, *La notion de dépense*, in Id., *Œuvres complètes*, I, Gallimard, Paris 1970 (trad. it. *La nozione di dépense*, in Bataille, Georges, *La parte maledetta*, Bertani, Verona 1972).

Bataille, Georges, *La Souveraineté*, in Id., *Œuvres complètes*, VIII, Gallimard, Paris 1976.

Bergson, Henri, *Durée et simultanéité* [1922], in Id., *Mélanges*, a cura di André Robinet, Puf, Paris 1972.

Bergson, Henri, *Matière et mémoire* [1896], in Id., *Œuvres*, a cura di André Robinet, Puf, Paris 1959 (trad. it. *Materia e memoria*, in Id., *Opere 1889-1896*, a cura di Pier Aldo Rovatti, Mondadori, Milano 1986).

Bertalanffy, Ludwig von, *An Essay on Relativity of Categories*, in "Philosophy of Science", 1955, 22.

Bertalanffy, Ludwig von, *General System Theory*, G. Braziller, New York 1969 (trad. it. *Teoria generale dei sistemi*, Etas, Milano 1971).

Bion, Wilfred R., *Elements of Psychoanalysis*, Heinemann, London 1963 (trad. it. *Gli elementi della psicoanalisi*, Armando, Roma 1973).

Blumenberg, Hans, *Lebenszeit und Weltzeit*, Suhrkamp, Frankfurt am Main 1986.

Boethius, Anitius Manlius Severinus, *Analyt. poster. Aristot. Interpretatio*, 1, 7-10.

Bompiani, Ginevra, *L'attesa*, Feltrinelli, Milano 1988.

Borges, Jorge L., *Historia de la eternidad*, Emece, Buenos Aires 1953; ora in Id., *Obras completas. 1923-1972*, a cura di Carlos V. Frias, Buenos Aires 1974 (trad. it. *Storia dell'eternità*, in Id., *Tutte le opere*, a cura di Domenico Porzio, Mondadori, Milano 1984, I).

Borkenau, Franz, *Der Übergang vom feudalen zum bürgerlichen Weltbild. Studien zur Geschichte der Philosophie der Manufakturperiode*, Alcan, Paris 1934; ristampa anastatica Wissenschaftliche Buchgesellschaft, Darmstadt 1971 (trad. it. *La transizione dall'immagine feudale all'immagine borghese del mondo*, a cura e con un'introduzione di Giacomo Marramao, il Mulino, Bologna 1984).

Burton, Robert [Democritus Junior], *The Anatomy of Melancholy*, John Lichfield e James Short per Henry Cripps, London 1621 (trad. it. parziale, limitata all'introduzione, *Anatomia della malinconia*, a cura di Jean Starobinski, Venezia 1983; altra trad. it. parziale, limitata alla parte III, *Malinconia d'amore*, Rizzoli, Milano 1981).

Burtt, Edwin A., *The Metaphysical Foundations of Modern Physical Science*, Essay, New York 1925.

Caillois, Roger, *L'Homme et le Sacré*, Gallimard, Paris 1950.

Caillois, Roger, *L'incertitude qui vient des rêves*, Gallimard, Paris 1956 (trad. it. *L'incertezza dei sogni*, prefazione di Guido Almansi, Feltrinelli, Milano 1983).

Calvino, Italo, *Rapidità*, in Id., *Lezioni americane. Sei proposte per il prossimo millennio*, Garzanti, Milano 1988.

Camps, Victoria (a cura di), *Historia de la Ética*, Crítica, Barcelona 1987, I: *De los Griegos al Renacimiento.*

Cappelletti, Vincenzo, *Sulla storia dello spazio e del tempo*, in "Bollettino del Centro internazionale A. Beltrame di Storia dello spazio e del tempo", 1983, 1.

Cardona, Giorgio R., *I sei lati del mondo. Linguaggio ed esperienza*, Laterza, Roma-Bari 1988.

Cartesio, *Meditazioni metafisiche sulla filosofia prima*, in Id., *Opere*, introduzione di Eugenio Garin, Laterza, Bari 1967, I.

Cassirer, Ernst, *Substanzbegriff und Funktionsbegriff*, Bruno Cassirer, Berlin 1910 (trad. it. *Sostanza e funzione*, La Nuova Italia, Firenze 1973).

Castelli, Enrico, *Il tempo inqualificabile*, Cedam, Padova 1975.

Cullmann, Oscar, *Christus und die Zeit* [1946], EVZ, Zürich 1962 (trad. it. *Cristo e il tempo*, il Mulino, Bologna 1965).

Curtius, Ernst R., *Europäische Literatur und lateinisches Mittelalter* [1948], Francke Verlag, Bern 1954.

Deleuze, Gilles, *A quoi reconnaît-on le structuralisme?*, in Châtelet, François (a cura di), *Histoire de la philosophie. Idées, doctrines*, Hachette, Paris 1973, VIII: *Le XXe siècle* (trad. it. *Da che cosa si riconosce lo strutturalismo?*, in *Storia della filosofia*, a cura di François Châtelet, Biblioteca Universale Rizzoli, Milano 1975, VIII).

Deleuze, Gilles, *Le pli. Leibniz et le baroque*, Les Éditions de Minuit, Paris 1988.

De Mauro, Tullio, *Ai margini del linguaggio*, Editori Riuniti, Roma 1984.

De Monticelli, Roberta, *Il richiamo della persuasione. Lettere a Carlo Michelstaedter*, Marietti, Genova 1988.

Derrida, Jacques, *De l'ésprit. Heidegger et la question*, Éditions Galilée, Paris 1987 (trad. it. *Dello spirito*, Feltrinelli, Milano 1989).

Derrida, Jacques, *La dissémination*, Éditions du Seuil, Paris 1972 (trad. it. *La disseminazione*, Jaca Book, Milano 1989).

Donne, John, *The Poems*, 2 voll., ed. critica a cura di Herbert J.C. Grierson, Oxford University Press, Oxford 1912.

Dürer, Albrecht, *Unterweysung der Messung* [1525], a cura di Hans Thoma, Süddeutsche Monatshefte, München 1908.

Eddington, Arthur S., *Space, Time and Gravitation*, Harvard University Press, Cambridge, Mass. 1920 (trad. it. *Spazio, tempo e gravitazione*, Boringhieri, Torino 1971).

Eddington, Arthur S., *The Nature of the Physical World*, Cambridge University Press, Cambridge, Mass. 1928 (trad. it. *La natura del mondo fisico*, prefazione di Tullio Regge, Laterza, Roma-Bari 1987).

Ederer, Robert, *Die Grenzen der Kunst. Eine kritische Analyse der Moderne*, Böhlau, Wien-Graz-Köln 1982.

Elias, Norbert, *Entgagement und Distanzierung. Arbeiten zur Wissenssoziologie I*, a cura di Michael Schröter, Suhrkamp, Frankfurt am Main 1983 (trad. it. *Coinvolgimento e distacco*, il Mulino, Bologna 1988).

Elias, Norbert, *Über die Zeit. Arbeiten zur Wissenssoziologie II*, a cura di Michael Schröter, Suhrkamp, Frankfurt am Main 1984 (trad. it. *Saggio sul tempo*, il Mulino, Bologna 1986).

Roterodamus, Desiderius Erasmus, *Opera omnia*, 10 voll., J. Clerius, Leiden 1703-1706.

Fachinelli, Elvio, *La freccia ferma: tre tentativi di annullare il tempo*, Edizioni L'Erba Voglio, Milano 1979.

Fachinelli, Elvio, *La mente estatica*, Adelphi, Milano 1989.

Farrell Krell, David, *Heidegger/Nietzsche*, in *Martin Heidegger* "Cahiers de L'Herne", Paris 1983.

Ferrarotti, Franco, *Il ricordo e la temporalità*, Laterza, Roma-Bari 1987.

Festugière, André-Jean, *Le sens philosophique du mot* αἰών, in "La parola del passato", 1949.

Foucault, Michel, *Che cos'è l'illuminismo? Che cos'è la rivoluzione?*, in "Il Centauro", 1984, 11-12.

Foucault, Michel, *Les mots et les choses*, Gallimard, Paris 1966 (trad. it. *Le parole e le cose*, Rizzoli, Milano 1967).

Frege, Gottlob, *Funktion und Begriff* [1891], in Id., *Funktion, Begriff, Bedeutung. Fünf logische Studien*, a cura di Günther Patzig, Vandenhoeck & Ruprecht, Göttingen 1975.

Freud, Sigmund, *Das Unheimliche* [1919], in Id., *Gesammelte Werke*, XII, The Hogarth Press, London 1972 (trad. it. *Il perturbante*, in *Opere di Sigmund Freud*, IX, Bollati Boringhieri, Torino 1989).

Sigmund Freud, *Die Traumdeutung* [1899], in Id., *Gesammelte Werke*, II, The Hogarth Press, London 1975 (trad. it. *L'interpretazione di sogni*, in *Opere di Sigmund Freud*, II, Bollati Boringhieri, Torino 1989).

Früchtl, Josef, *Zeit und Erfahrung. Adornos Revision der Revision Heideggers*, in Blasche, Siegfried e Köhler, Wolfgang R. (a cura di), *Martin Heidegger: Innen- und Aussenansichten*, Suhrkamp, Frankfurt am Main 1989.

Gadamer, Hans-Georg, *Wahrheit und Methode* [I960], Mohr, Tübingen 1975 (trad. it. *Verità e metodo*, a cura di Gianni Vattimo, Bompiani, Milano 1983).

Garin, Eugenio, *Introduzione* in Saxl, Fritz, *La storia delle immagini*, Laterza, Bari 1965.

Garin, Eugenio, *L'età nuova. Ricerche di storia della cultura dal XII al XVI secolo*, Liguori, Napoli 1969.

Garin, Eugenio, *Rinascite e rivoluzioni. Movimenti culturali dal XIV al XVIII secolo*, Laterza, Roma-Bari 1975.

Gassendi, Pierre, *Syntagma philosophicum*, in Id., *Opera omnia*, Anisson, Lyon 1658.

Gilson, Étienne, *Les métamorphoses de la cité de Dieu*, Vrin, Paris 1952 (trad. it. *La città di Dio e i suoi problemi*, Vita e Pensiero, Milano 1959).

Givone, Sergio, *Disincanto del mondo e pensiero tragico*, il Saggiatore, Milano 1988.

Gold, Thomas, *La natura del tempo*, in Toraldo di Francia, Giuliano (a cura di), *Il problema del cosmo*, 2 voll., Istituto della Enciclopedia Italiana, Roma 1982.

Gould, Stephen J., *Time's Arrow, Time's Cycle. Myth and Metaphor in the Discovery of Geological Time*, Harvard University Press, Cambridge, Mass. 1987 (trad. it. *La freccia del tempo, il ciclo del tempo*, Feltrinelli, Milano 1989).

Krockow, Christian Graf von, *Die Entscheidung. Eine Untersuchung über Ernst Jünger, Carl Schmitt, Martin Heidegger*, Ferdinand Enke Verlag, Stuttgart 1958.

Habermas, Jürgen, *Der philosophische Diskurs der Moderne*, Suhrkamp, Frankfurt am Main 1985 (trad. it. *Il discorso filosofico della modernità*, Laterza, Roma-Bari 1987).

Habermas, Jürgen, *Nachmetaphysisches Denken*, Suhrkamp, Frankfurt am Main 1988.

Habermas, Jürgen, *Philosophisch-politische Profile*, Suhrkamp, Frankfurt am Main 1981.

Hall, Edward T., *The Hidden Dimension*, Doubleday, New York 1966 (trad. it. *La dimensione nascosta*, Bompiani, Milano 1969).

Hartland, Swann J., *The Concept of Time*, in "Philosophical Quarterly", 1955, 5.

Heidegger, Martin, *Brief über den "Humanismus"* [1946], in Id., *Wegmarken*, Klostermann, Frankfurt am Main 1967; ora anche nella *Gesamtausgabe*, IX, Frankfurt am Main 1976 (trad. it. *Lettera sull'"umanismo"*, in Heidegger, Martin, *Segnavia*, a cura di Friedrich-Wilhelm von Herrmann, Adelphi, Milano 1987).

Heidegger, Martin, *Die Selbstbehauptung der deutschen Universität. Das Rektorat 1933/34. Tatsachen und Gedanken*, a cura di Hermann Heidegger, Klostermann, Frankfurt am Main 1983 (trad. it. *L'autoaffermazione dell'università tedesca. Il rettorato 1933/34. Fatti e pensieri*, il melangolo, Genova 1988).

Heidegger, Martin, *Die Zeit des Weltbildes* [1938], in Id., *Holzwege*, Klostermann, Frankfurt am Main 1950; ora anche nella *Gesamtausgabe*, V, Frankfurt am Main 1977 (trad. it. *L'epoca dell'immagine del mondo*, in Id., *Sentieri interrotti*, La Nuova Italia, Firenze 1968).

Heidegger, Martin, *Einführung in die Metaphysik*, Niemeyer, Tübingen 1953 (trad. it. *Introduzione alla metafisica*, Mursia, Milano 1968).

Heidegger, Martin, *Gesamtausgabe. II Abteilung: Vorlesungen 1923-1944*, XXVI: *Metaphysische Anfangsgründe der Logik im Ausgang von Leibniz*, a cura di Klaus Held, Klostermann, Frankfurt am Main 1978.

Heidegger, Martin, *Nietzsche*, 2 voll., Neske, Pfullingen 1961.

Heidegger, Martin, *Sein und Zeit*, Niemeyer, Halle 1927; ora in *Gesamtausgabe. I Abteilung: Veröffentliche Schriften 1914-1970*, II, Frankfurt am Main 1976 (trad. it. *Essere e tempo*, Utet, Torino 1969).

Heidegger, Martin, *Über "die Linie"*, in Id., *Freundschaftliche Begegnungen. Festschrift für Ernst Jünger zum 60. Geburtstag*, Klostermann, Frankfurt am Main 1955, poi ripubblicato con il titolo *Zur Seinsfrage*, Klostermann, Frankfurt am Main; ora in *Gesamtausgabe*, IX, Frankfurt am Main 1976 (trad. it. *La questione dell'essere*, in Heidegger, Martin, *Segnavia*, Adelphi, Milano 1987, ripresa in Jünger, Ernst e Heidegger, Martin, *Oltre la linea*, a cura di Franco Volpi, Adelphi, Milano 1989).

Heidegger, Martin, *Was ist das - die Philosophie?*, G. Neske, Pfullingen 1956 (trad. it. *Che cos'è la filosofia?*, il melangolo, Genova 1986).

Heisenberg, Werner, *Quantenmechanik und Kantische Philosophie* [1930-1932], in Id., *Der Teil und das Ganze*, Piper, München 1973.

Heisenberg, Werner, *Schritte über Grenzen*, Piper, München 1971 (trad. it. *Oltre le frontiere della scienza*, Editori Riuniti, Roma 1984).

Hofstadter, Douglas R., *Gödel, Escher, Bach: an Eternal Golden Braid*, Basic Books, New York 1979 (trad. it. *Gödel, Escher, Bach*, Adelphi, Milano 1984).

Horkheimer, Max e Adorno, Theodor W., *Dialektik der Aufklärung*, Querido, Amsterdam 1947 (trad. it. *Dialettica dell'Illuminismo*, Einaudi, Torino 1966).

Husserl, Edmund, *Zur Phänomenologie des inneren Zeitbewusstseins*, a cura di Rudolf Boehm, "Husserliana", Bd.

X, Martinus Nijhoff, Den Haag 1966 (trad. it. *Per la fenomenologia della coscienza interna del tempo*, a cura di Alfredo Marini, Angeli, Milano 1981).

Jonas, Hans, *Gnosis und spätantiker Geist*, I: *Die mythologische Gnosis* [1934], Vandenhoeck & Ruprecht, Göttingen 1964.

Jünger, Ernst, *Über die Linie*, in Jünger, Ernst e Otto, Walter F., et al., *Anteile. Martin Heidegger zum 60. Geburtstag*, Klostermann, Frankfurt am Main 1950; ora in *Sämtliche Werke*, Stuttgart 1978 (trad. it. *Oltre la linea*, a cura di Franco Volpi, Adelphi, Milano 1989).

Kanitscheider, Bernulf, *L'influenza della teoria contemporanea della relatività sulla filosofia*, in Toraldo di Francia, Giuliano (a cura di), *Il problema del cosmo*, 2 voll., Istituto della Enciclopedia Italiana, Roma 1982.

Kant, Immanuel, *Beantwortung der Frage: Was ist Aufklärung?* in Id., *Gesammelte Schriften (Akademie-Ausgabe)*, Bd. VIII, W. de Gruyter, Berlin-Leipzig 1912 (trad. it. *Risposta alla domanda: Che cos'è l'Illuminismo?*, in Kant, Immanuel, *Scritti politici e di filosofia della storia e del diritto*, a cura di Norberto Bobbio, Luigi Firpo e Vittorio Mathieu, Utet, Torino 1965[2]).

Kant, Immanuel, *Kritik der reinen Vernunft* in Id., *Gesammelte Schriften (Akademie-Ausgabe)*, Bd. III, Reimer Verlag, Berlin 1911 (trad. it. *Critica della ragion pura*, a cura di Vittorio Mathieu, Laterza, Bari 1966).

Kermode, Frank, *The Sense of an Ending*, Oxford University Press, Oxford 1966 (trad. it. *Il senso della fine*, Rizzoli, Milano 1972).

Kern, Stephen, *The Culture of Time and Space 1880-1918*, Harvard University Press, Cambridge, Mass. 1983 (trad. it. *Il tempo e lo spazio. La percezione del mondo tra Otto e Novecento*, il Mulino, Bologna 1988).

Klibansky, Raymond, Panofsky, Erwin e Saxl, Fritz, *Saturn and Melancholy. Studies in the History of Natural Philosophy, Religion and Art*, Nelson, London-New York 1964 (trad. it. *Saturno e la melanconia*, Einaudi, Torino 1983).

Koselleck, Reinhart, *Fortschritt*, in Brunner, Otto, Werner, Conze e Koselleck, Reinhart (a cura di) *Geschichtliche Grundbegriffe. Historisches Lexicon zur politisch-sozialen Sprache in Deutschland*, II, Klett-Cotta, Stuttgart 1975.

Koselleck, Reinhart, *Vergangene Zukunft*, Suhrkamp, Frankfurt am Main 1979 (trad. it. *Futuro passato*, Marietti, Genova 1986).

Koyré, Alexandre, *From the Closed World to the Infinite Universe*, The Johns Hopkins University Press, Baltimore 1957 (trad. it. *Dal mondo chiuso all'universo infinito*, Feltrinelli, Milano 1970).

Lawrence, Nathaniel, *Time Represented as Space*, in "The Monist", 1969, 53.

Leibniz, Gottfried W., *Die philosophischen Schriften*, a cura di Carl Immanuel Gerhardt, 7 voll., Weidmannsche Buchhandlung, Berlin 1875-1890 (ristampa Olm, Hildesheim 1965).

Lepenies, Wolf, *Melancholie und Gesellschaft*, Suhrkamp, Frankfurt am Main 1969 (trad. it. *Melanconia e società*, Guida, Napoli 1985).

Lizhi, Fang e Youyuan, Zhao, *Il concetto di spazio-tempo dall'antica Cina alla cosmologia moderna*, in Toraldo di Francia, Giuliano (a cura di), *Il problema del cosmo*, 2 voll., Istituto della Enciclopedia Italiana, Roma 1982.

Lovejoy, Arthur O., *The Great Chain of Being*, Harvard University Press, Cambridge, Mass. 1936 (trad. it. *La grande catena dell'essere*, Feltrinelli, Milano 1966).

Löwith, Karl, *Das Verhängnis des Fortschritts* [1963], in Id., *Sämtliche Schriften*, II, Metzler, Stuttgart 1983.

Löwith, Karl, *Der europäische Nihilismus* [1940], in Id., *Sämtliche Schriften*, II, Metzler, Stuttgart 1983.

Löwith, Karl, *Heidegger, Denker in dürftiger Zeit*, Vanderhoeck & Ruprecht, Göttingen 1960; ora in *Sämtliche Schriften*, VIII, Metzler, Stuttgart 1984 (trad. it. *Saggi su Heidegger*, Einaudi, Torino 1966).

Löwith, Karl, *Vom Sinn der Geschichte* [1961], in Id., *Sämtliche Schriften*, II, Metzler, Stuttgart 1983.

Löwith, Karl, *Weltgeschichte und Heilsgeschehen. Die theologischen Voraussetzungen der Geschichtsphilosophie*, W. Kohlammer, Stuttgart 1953; ora in *Sämtliche Schriften*, II, Metzler, Stuttgart 1983 (trad. it. *Significato e fine della storia*, Edizioni di Comunità, Milano 1963).

Luhmann, Niklas, *Soziale Systeme. Grundriss einer allgemeinen Theorie*, Suhrkamp, Frankfurt am Main 1984.

Luhmann, Niklas, *Wie ist soziale Ordnung möglich?*, in Id., *Gesellschaftsstruktur und Semantik*, Bd. II, Suhrkamp-Verlag, Frankfurt am Main 1981 (trad. it. *Come è possibile l'ordine sociale*, introduzione di Giacomo Marramao, Laterza, Roma-Bari 1985).

Lyotard, Jean-F., *La condition postmoderne. Rapport sur le savoir*, Les Éditions de Minuit, Paris 1979 (trad. it. *La condizione postmoderna*, Feltrinelli, Milano 1981).

Macchia, Giovanni, *Baudelaire critico*, premessa di Gianfranco Contini, Rizzoli, Milano 1988.

Maravall, Jose A., *Velázquez y el espíritu de la modernidad*, Alianza Universidad, Madrid 1987 (trad. it. *Velàzquez e lo spirito della modernità*, Marietti, Genova 1988).

Marramao, Giacomo, *Potere e secolarizzazione. Le categorie del tempo*, Editori Riuniti, Roma 1983 (nuova ed. riveduta e ampliata, Bollati Boringhieri, Torino 2005).

Mathieu, Vittorio, *Introduzione a Leibniz*, Laterza, Roma-Bari 1976.

Matte Blanco, Ignacio, *The Unconscious as Infinite Sets. An Essay in Bi-Logic*, Duckworth, London 1975 (trad. it. *L'inconscio come insiemi infiniti*, introduzione di Pietro Bria, Einaudi, Torino 1981).

Melandri, Enzo, *La linea e il circolo. Studio logico-filosofico sull'analogia*, il Mulino, Bologna 1968.

Merleau-Ponty, Maurice, *La prose du monde*, Gallimard, Paris 1969 (trad. it. *La prosa del mondo*, introduzione di Carlo Sini, Editori Riuniti, Roma 1984).

Michelstaedter, Carl, *La persuasione e la rettorica* [1910], in Id., *Opere*, a cura di Gaetano Chiavacci, Sansoni, Firenze 1958.

Minkowski, Eugene, *Le temps véçu*, Delachaux et Niestle, Neuchâtel 1968 (trad. it. *Il tempo vissuto*, Einaudi, Torino 1974[2]).

Mörchen, Hermann, *Macht und Herrschaft im Denken von Heidegger und Adorno*, Klett-Cotta, Stuttgart 1980.

Morin, Edgar (a cura di), *Teorie dell'evento*, Bompiani, Milano 1972.

Mugnai, Massimo, *Astrazione e realtà. Saggio su Leibniz*, Feltrinelli, Milano 1976.

Nagel, Thomas, *The View from Nowhere*, Oxford University Press, New York-Oxford 1986 (trad. it. *Uno sguardo da nes-*

sun luogo, a cura e con una premessa di Salvatore Veca, il Saggiatore, Milano 1988).

Newton, Isaac, *Philosophiæ naturalis Principia mathematica* [1687], Cornelius Crownfield, Cambridge 1713² (trad. it. *Principi matematici della filosofia naturale*, a cura di Alberto Pala, Utet, Torino 1965).

Nietzsche, Fredrich, *Crepuscolo degli idoli*, in Id., *Opere*, a cura di Giorgio Colli e Mazzino Montinari, VI, 3, Adelphi, Milano 1975.

Nozick, Robert, *Philosophical Explanations*, Harvard University Press, Cambridge, Mass. 1981 (trad. it. *Spiegazioni filosofiche*, il Saggiatore, Milano 1987).

Olschki, Leonardo, *Geschichte der neusprachlichen wissenschaftlichen Literatur*, Winter, Heidelberg 1919.

Panofsky, Erwin, *Die Perspektive als "symbolische Form"*, in *Vorträge der Bibliothek Warburg*, Teubner, Leipizig-Berlin 1927 (trad. it. *La prospettiva come "forma simbolica"*, in Panofsky, Erwin, *La prospettiva come "forma simbolica" e altri scritti*, a cura di Guido D. Neri con una nota di Maria Dalai, Feltrinelli, Milano 1961).

Panofsky, Erwin, *Dürers Kunsttheorie, vornehmlich in ihrem Verhältnis zu der der Italiener*, Reimer, Berlin 1915.

Panofsky, Erwin, *Dürers Stellung zur Antike*, Jahrbuch für Kunstgeschichte, Wien 1922.

Panofsky, Erwin, *The Life and Art of Albrecht Dürer* [1943], Princeton University Press, Princeton 1955⁴ (trad. it. *La vita e le opere di Albrecht Dürer*, Feltrinelli, Milano 1983).

Pascal, Blaise, *Œuvres complètes*, a cura di Jacques Chevalier, Gallimard, Paris 1954.

Paz, Octavio, *El laberinto de la soledad* [1950], Fondo de Cultura Economica, México 1959 (trad. it. *Il labirinto della solitudine*, il Saggiatore, Milano 1982).

Penrose, Roger, *Singularities and Time Asymmetry*, in Hawking, Stephen W. e Israel, Werner (a cura di), *General Relativity. An Einstein Centenary Survey*, Cambridge University Press, Cambridge, Mass. 1979.

Penrose, Roger, *Spinors and Space-Time*, Cambridge University Press, Cambridge, Mass. 1984.

Poe, Edgar, A., *Eleonora* [1842], in Id. *Complete Stories and Poems of Edgar Allan Poe*, Doubleday and Company, New York 1966.

Poulet, Georges, *Études sur le temps humain*, IV: *Mésure de l'instant*, Plon, Paris 1968.

Poulet, Georges, *Les métamorphoses du cercle*, Plon, Paris 1961 (trad. it. *Le metamorfosi del cerchio*, Rizzoli, Milano 1971).

Prigogine, Ilya, *From Being to Becoming. Time and Complexity in the Physical Sciences*, W.H. Freeman, New York 1979 (trad. it. *Dall'essere al divenire*, Einaudi, Torino 1986).

Prigogine, Ilya, *Physique et métaphysique*, in *Connaissance scientifique et philosophie. Colloque organisé le 16 et 17 mai 1973 par l'Académie royale des sciences, des lettres et des beaux arts de Belgique a l'occasion du deuxième centenaire de sa fondation*, Bruxelles 1975.

Prigogine, Ilya e Stengers, Isabelle, *Entre le temps et l'éternité*, Fayard, Paris 1988 (trad. it. *Tra il tempo e l'eternità*, Bollati Boringhieri, Torino 1989).

Puech, Henri-C., *En quête de la Gnose*, 2 voll., Gallimard, Paris 1978 (trad. it. *Sulle tracce della Gnosi*, Adelphi, Milano 1985).

Queneau, Raymond, *Une histoire modèle*, Gallimard, Paris 1966 (trad. it. *Una storia modello*, nota introduttiva di Ruggiero Romano, Fabbri, Milano 1973).

Regge, Tullio, *L'infinito e le simmetrie*, in Toraldo di Francia, Giuliano (a cura di), *L'infinito nella scienza (Infinity in Science)*, Istituto della Enciclopedia Italiana, Roma 1987.

Reichenbach, Hans, *Der gegenwärtige Stand der Relativitätstheorie*, in "Logos", 1922, 10.

Reichenbach, Hans, *Philosophie der Raum-Zeit-Lehre*, Walter de Gruyter, Berlin 1928.

Revel, Jean-François, *Descartes inutile et incertain*, Stock, Paris 1976.

Rey, Abel, *Le Retour éternel et la Philosophie de la physique*, Flammarion, Paris 1927.

Ricoeur, Paul, *Temps et récit*, I, Éditions du Seuil, Paris 1983 (trad. it. *Tempo e racconto*, Jaca Book, Milano 1986, I).

Riedel, Manfred, *Nihilismus*, in Brunner, Otto, Conze, Werner e Koselleck, Reinhart (a cura di) *Geschichtliche Grund-*

begriffe. Historisches Lexicon zur politisch-sozialen Sprache in Deutschland, IV, Klett-Cotta, Koln 1978.

Romano, Ruggiero (a cura di), *Le frontiere del tempo*, il Saggiatore, Milano 1981.

Rorty, Richard, *Philosophy and the Mirror of Nature*, Princeton University Press, Princeton 1979 (trad. it. *La filosofia e lo specchio della natura*, Bompiani, Milano 1986).

Rossi, Paolo, *I ragni e le formiche. Un'apologia della storia della scienza*, il Mulino, Bologna 1986.

Rossi, Paolo, *I segni del tempo. Storia della Terra e storia delle nazioni da Hooke a Vico*, Feltrinelli, Milano 1979.

Rossi, Pietro (a cura di), *La memoria del sapere*, Laterza, Roma-Bari 1988.

Rottges, Heinz, *Nietzsche und die Dialektik der Aufklärung*, de Gruyter, Berlin-New York 1972.

Russo, Lucio, *Nietzsche, Freud e il paradosso della rappresentazione*, Istituto della Enciclopedia Italiana, Roma 1986.

Santillana, Giorgio de e Dechend, Herta von, *Hamlet's Mill. An Essay on Myth and the Frame of Time*, Gambit, Boston 1969 (trad. it. *Il mulino di Amleto*, a cura di Alessandro Passi, Adelphi, Milano 1983).

Saxl, Friedrich, *Veritas filia temporis*, in Klibansky, Raymond e Paton, Herbert J. (a cura di), *Philosophy and History. Essays presented to Ernst Cassirer*, Harper and Row, New York 1963 (I ed.: Clarendon Press, Oxford 1936).

Scaravelli, Luigi, *Opere*, a cura di Mario Corsi, I: *Critica del capire e altri scritti*, La Nuova Italia, Firenze 1968.

Scaravelli, Luigi, *Opere*, a cura di Mario Corsi, III: *L'analitica trascendentale. Scritti inediti su Kant*, La Nuova Italia, Firenze 1980.

Schnur, Roman, *Individualismus und Absolutismus*, Duncker & Humblot, Berlin 1963 (trad. it. *Individualismo e assolutismo*, Giuffrè, Milano 1979).

Sedimayr, Hans, *Verlust der Mitte*, Müller, Salzburg 1948 (trad. it. *Perdita del centro*, Borla, Torino 1967).

Severino, Emanuele, *Destino della necessità*, Adelphi, Milano 1980.

Severino, Emanuele, *La filosofia futura*, Rizzoli, Milano 1989.

Sini, Carlo, *La fenomenologia e la filosofia dell'esperienza*, Unicopli, Milano 1987.

Sini, Carlo, *Passare il segno. Semiotica, cosmologia, tecnica*, il Saggiatore, Milano 1981.

Spinoza, Benedictus de, *Tractatus de intellectus emendatione*, in Id., *Spinoza Opera*, II, a cura di Carl Gebhardt, Winters, Heidelberg 1925 (trad. it. *Emendazione dell'intelletto* in Spinoza, Benedictus de, *Emendazione dell'intelletto. Princìpi della filosofia cartesiana. Pensieri metafisici*, Boringhieri, Torino 1962).

Spitzer, Leo, *Classical and Christian Ideas of World Harmony*, The Johns Hopkins University Press, Baltimore 1963 (trad. it. *L'armonia del mondo*, il Mulino, Bologna 1967).

Starobinski, Jean, *Histoire du traitement de la mélancolie, des origines à 1900*, Geigy, Basle 1960.

Starobinski, Jean, *La mélancolie au miroir. Trois lectures de Baudelaire*, Gallimard, Paris 1989.

Tiffeneau, Dorian (a cura di), *Mythes et répresentations du temps*, CNRS, Paris 1985.

Tocqueville, Alexis de, *La democrazia in America*, in Id., *Scritti politici*, a cura di Nicola Matteucci, Utet, Torino 1968, II.

Vasari, Giorgio, *Leonbattista Alberti. Architetto Fiorentino*, in Id., *Vite de' più eccellenti architetti, pittori, et scultori italiani, da Cimabue insino a' tempi nostri*, Torrentino, Firenze 1550.

Vattimo, Gianni, *La fine della modernità*, Garzanti, Milano 1985.

Verra, Valerio, *Nichilismo*, in *Enciclopedia del Novecento*, Istituto della Enciclopedia Italiana, Roma 1979, IV.

Vitiello, Vincenzo, *Utopia del nichilismo. Tra Nietzsche e Heidegger*, Guida, Napoli 1983.

Warburg, Aby, *Dürer und die italienische Antike* [1905], in Id., *Gesammelte Schriften*, II, Teubner, Leipzig-Berlin 1932.

Weininger, Otto, *Über die letzten Dinge*, Braumüller, Wien 1904.

Welsch, Wolfgang, *Unsere postmoderne Moderne*, VCH Acta Humaniora, Weinheim 1988.

Weyl, Hermann, *Das Kontinuum. Kritische Untersuchungen über die Grundlagen der Analysis* [1918], Walter de Gruyter, Berlin 1932 (trad. it. *Il continuo,* Bibliopolis, Napoli 1977).

Wittgenstein, Ludwig, *Philosophische Bemerkungen aus dem Nachlass,* a cura di Rush Rhees, in Id., *Schriften,* II, Suhrkamp, Frankfurt am Main 1964 (trad. it. *Osservazioni filosofiche,* a cura di Marino Rosso, Einaudi, Torino 1976).

Wittgenstein, Ludwig, *Philosophische Untersuchungen. Philosophical Investigation,* a cura di Gertrude Elisabeth Margaret Anscombe e Rush Rhees, Blackwell, Oxford 1953 (trad. it. *Ricerche filosofiche,* a cura di Mario Trinchero, Einaudi, Torino 1967).

Wittgenstein, Ludwig, *Tractatus logico-philosophicus* [1921], introduzione di Bertrand Russell, trad. ingl. a fronte di Charles K. Ogden, Routledge & Kegan Paul, London 1933; ora anche in ed. critica: *Logisch-philosophische Abhandiung, Tractatus logico-philosophicus,* Kritische Edition hrsg. von Brian McGuinness und Joachim Schulte, Frankfurt am Main 1989 (trad. it. *Tractatus logico-philosophicus e Quaderni 1914-16,* a cura di Amedeo G. Conte, Einaudi, Torino 1974; nuova ed. it. con testo originale a fronte, *Tractatus logico-philosophicus,* a cura di Amedeo G. Conte, Einaudi, Torino 1989).

Wittgenstein, Ludwig, *Vorlesungen 1930-1935,* a cura di Alice Ambrose, Suhrkamp, Frankfurt am Main 1984.

Wittgenstein, Ludwig, *Vermischte Bemerkungen,* a cura di Georg H. von Wright, Suhrkamp, Frankfurt am Main 1977 (trad. it. *Pensieri diversi,* Adelphi, Milano 1980).

von Wright, Georg H., *Time, Change and Contradiction,* Cambridge University Press, Cambridge, Mass. 1968 (trad. it. *Tempo, cambiamento e contraddizione,* in *La logica del tempo,* a cura di Claudio Pizzi, Boringhieri, Torino 1974).

Yourcenar, Marguerite, *Le Temps, ce grand sculpteur,* Gallimard, Paris 1983 (trad. it. *Il Tempo, grande scultore,* Einaudi, Torino 1985).

Indice dei nomi